朝日新書
Asahi Shinsho 780

危機の正体

コロナ時代を生き抜く技法

佐藤　優

朝日新聞出版

危機の正体

コロナ時代を生き抜く技法

目次

序章　「新しい日常」を強いる権力の存在

「けっこう幸せなのかも」

限られた人への30万円給付から、全国民一律10万円給付へ。２０２０年3月から4月にかけて、新型コロナ禍における家計支援策をめぐり、安倍晋三首相は方針を大きく転換しました。

安倍首相のブレは、新型コロナ感染が拡大する日本の「国家」と「社会」の動揺を反映したものでもあり、新型コロナ禍は、混沌としてその姿が見えづらかった国内外の問題を可視化するのではないか。私にはそう感じられました。

具体的には何が見えたのでしょうか。

こんな風景から始めましょう。

「お金はないけどこうやってコンビニのカフェラテ飲んで」

「ネットで評判のコンビニ神スイーツ買って家に帰れば」

「あとはスマホで映画でも海外ドラマでも」

「好きなの選んでテレビに飛ばしてソファーに寝っ転がってそれを観る」

そして、眠くなったらそのままソファーで寝落ちする。そんな日常——

これは、東村アキコさんの漫画『東京タラレバ娘　シーズン2』(講談社)1巻に出てくる主人公の独白です。この作品は「もしあのとき~だったら」「もし~だとすれば」と、物事が思い通りにいかない自分に対する言い訳に、あるいは未来の自分への励ましにもなる「タラレバ」を言いながら、幸せを探す女性たちの人気コミックの第2弾です。

主人公の廣田令菜は30歳。独身のフリーター。東京生まれの東京育ち。短大を卒業したあと一度は就活しましたが、水が合わず、その後はフリーターとして職を転々としています。夢や人生の目標もなく、なんとなく生きてきました。そんな自分がおかれている状況に不満はないようです。

「もしかして私ってけっこう幸せなのかも」

このように自分の幸せを認識できるのは、令菜が実家暮らしで、食・住の心配がないからです。

30歳になって立ち仕事がきついと感じるようになった令菜が区立図書館のアルバイトに採用され、元号が令和に変わったことをきっかけに自分も変わろうと、幸せを求めて奮闘を始めるという物語です。

しかし、ここではストーリーを追うことはしません。もし図書館にアルバイト採用された令菜の生活が新型コロナ禍で緊急事態宣言中の東京だっ「たら」と仮定し、新型コロナ禍で見えてきた問題について、そして緊急事態宣言全面解除後のニューノーマル（新しい日常）の時代で向き合うべき課題について考えてみましょう。

令菜の日常――コンビニでスイーツを買って帰宅。スイーツを食べながらネット配信の映画やドラマを観て、いつの間にか寝落ちしている――これは、コロナ禍による外出自粛中の暮らし「あるある」だといえないでしょうか。あるいは、緊急事態宣言解除後のニューノーマル、つまり国民に求められている新しい生活様式にもかなうかもしれません。近所のコンビニでの買い物、サブスクリプション（定額課金）サービスの利用という、巣ごもり消費のひとつの典型だといえます。感染対策の根本である3密を避けているわけですから。

実際、「新型コロナウイルスの影響で、身近なコンビニでまとめ買いをする消費者が増えている」（日本経済新聞、6月17日）といいます。自宅から距離のある、あるいは混み合うスーパーよりも、近くのコンビニで日常生活に必要なものをまかなおうという意識の人が一定数現れてきたということでしょう。

誰が、何の資格があって指図するのか

こうした消費行動の変化やそれに伴う生活の変化は、やむを得ない選択なのか、新型コロナの感染が拡大するなかで、政府による自粛要請に当初、「がまん」して従っていたのが、いつの間にか自粛中に政府や自治体が求めた生活スタイルを自分自身の自発的、内面的規律としてしまい、緊急事態宣言解除後の「新しい生活様式」も違和感なく受け入れているのでしょうか。

自粛要請にせよ、新しい生活様式にせよ、誰が、何の資格があって、国民一人ひとりの私的領域に立ち入って指図する権利があるのでしょうか。たとえば、「日常生活の各場面別の生活様式」の「食事」項目に〈対面ではなく横並びで座ろう〉とあります。どう思いますか？　余計なお世話だと思いませんか？

そんな反発を感じる人もいれば、こうした上からの新マナーの求めを「自分のものとし

て」織り込む人が生まれます。さらに政府が要請するマナーを他者に押し付け、自粛を強要する「自粛警察」の存在はメディアでも繰り返し報じられています。

日本の場合、緊急事態宣言でさえ、一般市民の生活に関わる分野に対しては法的な拘束力がなく、あくまでもお願いベースです。それでもその要請に多くの国民が従うのは、感染するリスク、他人に感染させてしまうリスクという命に関わることだという点が大きいと思いますが、そもそものところで国民に、法的には強制力がない自粛を求める権力の存在を見逃してはいけません。

国の統治機構を構成する権力は、立法・行政・司法の三権です。言葉を変えれば国会・内閣・裁判所です。コロナ禍のような非常時に強くなるのは三権のうちのどの権力でしょうか。私たち社会の側からは、その権力をどのようなものとして捉えるべきか、考えるべき点だと思います。

並行して、こうした自粛要請に応じる社会は、中央政府の官僚や政治家といった統治エリート、つまり国家にはどのように映っているのでしょうか。新型コロナ感染の第2波が起きたとき、あるいは別の非常事態に直面したときに、今回の緊急事態宣言を壮大な社会実験としてみた場合に、何を学習し、ニューノーマルの統治にどう応用してくるのか。そんな課題も浮かび上がってきます。

新型コロナで休業した職種

令菜は自分の財布事情について、「お金はないけど」と言っています。彼女の収入はどのくらいでしょうか。新しい仕事は区立図書館でのアルバイト。職場の先輩からは「時給は安いけど」と言われています。試しにネットで公共図書館のアルバイト募集を調べてみると、公共図書館が民間企業に業務を委託する雇用形態で、だいたい時給が1020円～1070円です。令菜は図書館司書の資格を持っていないようですから、時給を最も安い1020円としましょう。実働8時間、週5日働いて4万8000円。1カ月16万円前後。年収にすると、190万円くらいです。作品の中では、昼からの勤務もあるようですから、年収はさらに下がって、180万円台といったところでしょうか。

年収180万円台でフリーター。これは、社会学者の橋本健二さんが提唱した新たな下層階級「アンダークラス」にあてはまります。アンダークラスに属するのは、パートの主婦を除く非正規労働者です。職種は事務、販売、サービス、マニュアル（肉体労働）が主体。その平均年収は186万円。令菜は、2025年には1000万人を超えると予想される最下層の1人なのです。彼女の職歴も、派遣のショップ店員、派遣のライブスタッフ、派遣のポスティング。アンダークラスの職種とぴったり重なります。

そしてポスティングを除けば、新型コロナの影響で休業した業種ばかりです。区立図書館も例外ではありません。休館になって令菜は自宅待機か、場合によっては雇い止めされていたでしょう。作者は令菜に「フリーターは気楽」と語らせていますが、新型コロナ禍が物語の舞台だとすれば、実家暮らしだから食・住は確保できているものの、フリーターとしての自分がいかに脆《もろ》い足場の上に立っているかに気づいたことでしょう。

新型コロナ禍をきっかけに、働き方が変わるといわれています。リモートワークはその代表的なものでしょう。自宅から参加するウェブ会議に慣れなくて大変。子どもも休校で家にいて、在宅での仕事に集中できない。仕事と生活との区切りがつかず、かえって労働時間が増えた、などというリモートワークをしているビジネスパーソンの声をメディアは伝えていますが、ネット環境が整いリモートワークができるのは大企業の話です。給与も保証されています。アンダークラスの大変さとは根本的に質が異なります。

アンダークラスには、コロナ解雇、雇い止めによって仕事そのものをすでに失った人、現在進行形で不安に晒《さら》されている人も少なくありません。小泉純一郎政権のもとで本格化した新自由主義的な構造改革によって、企業は終身雇用と年功序列を軸とする日本型経営の転換に手をつけ始めました。雇用の多様化も大きな柱の一つですが、言葉を換えれば、企業にとって足かせとなる人件費の負担を軽くする、つまり脆弱な社会保障のもとで働かざるを得ない非正規労働者の割合を増やすことになりました。その中から、人それぞれ理由はあるでしょうが、職業訓練もじゅうぶんに受けられないアンダークラスに属する非正規労働者が生まれていったのです。経済活動が再開されても、国は国民への再分配を増やし社会保障を手厚くする方向へ回帰するとは考えられません。アンダークラスの生活の質が向上する条件は見当たらないのです。

海外の事例になりますが、エストニアでは3月中旬から新型コロナの影響で、仕事のなくなった企業が従業員を運送業など人手不足の企業に融通するシェアリングサービスを始めました。今後の労働モデルの一つになりそうですが、日本企業では社員の副業を認めることにさえ、雇用保険の負担割合をどうするかなど、さまざまな制度の規制が壁になっています。そう考えると、企業間での雇用者のシェアリング導入にはかなり時間がかかると思います。

不安定な雇用状況にある個々人が真剣に生き残りを考えるならば、サービス業から大規模な農業法人に移ったり、小規模ながら地産地消型で農業に取り組むグループに移ったり、産業間の移動も選択肢として出てくるでしょう。

新型コロナの影響は、正規雇用労働者にも及びます。企業では、コロナ禍で広がった在宅勤務を働き方の一つとして定着させようという動きが加速しています。在宅勤務とのセットで注視されているのが、企業が社員の職務内容を明確にし、成果で評価する「ジョブ型」の導入です。成果主義の導入は、日本経団連が２０００年代初頭から提言していましたから、新型コロナ禍という〝外圧〟により、一気に在宅勤務が進んだことに伴って導入されるのではないでしょうか。

たとえば、日立製作所が5月26日に発表した、「在宅勤務活用を標準とした働き方の推進」がその典型です。

〈日立は、在宅勤務を変革のドライバーとして働き方の多様化をさらに推し進めると同時に、従業員一人ひとりが最大限能力を発揮し生産性を向上していくため、ジョブディスクリプションやパフォーマンス・マネジメントなどの仕組みにより、一人ひとりの仕事・役割と期待成果を明確にするジョブ型人財マネジメントへの転換をより加速してい

きます〉（日立製作所ニュースリリース）

こうした働き方の変化によって、新型コロナ感染が拡大する前、朝日新聞の記事（朝日新聞デジタルは2019年11月11日）に登場した「朝の妖精さん」と呼ばれる、働かない中高年社員は絶滅危惧種になるでしょう。

ジョブ型経営が定着するまでには、労働規制を撤廃していく必要がありますし、本当に仕事の効率性や生産性が向上するのかの検証も必要でしょう。同時にジョブ型の働き方に対応できる人材の確保も課題です。

〈「現実には、ジョブ型雇用にふさわしい即戦力の新卒者は多くない」と日本総合研究所の山田久副理事長は指摘する〉（日本経済新聞、6月22日）

ジョブ型雇用が本流になると、新卒者を一括雇用し、自社で一から育成することはなくなるでしょう。すると教育機関がその役割を担うよう求められることになります。その是非は措いておくとしても、大学が専門学校化します。たとえば、経済学部や経営学部は、学生に最低限身につけるべきスキルとして簿記を徹底的に教える。それは、マンキューの『経済学』を教えるよりもずっと重要になるかもしれません（第4章参照）。

家族の負担が増える

さて、自宅待機になった令菜には、図書館休館中の収入はたぶんないか、あったとしてもわずかな額の休業補償でしょう。

政府は当初、減収世帯への生活支援臨時給付金30万円の支給をするつもりでいました。仮に実施されたとして、この30万円を令菜は受け取ることができるのでしょうか。派遣で働いていた前年に比べ収入は激減しています。給付条件を満たしていそうですが、結論から言えば、受け取れません。30万円の給付金は、収入が減った「世帯主」を対象としていたからです。令菜は実家住まいですから、一般的には廣田家の世帯主は父親です。父親の年齢ははっきりしませんが、描かれる絵の雰囲気などを勘案すれば、60代半ばくらい。定年延長で働いているか、年金生活に入ったところでしょうか。持ち家で富裕層ではないが当面の暮らしには困っていない。素直に考えれば、父親は給付対象にならないのです。

どういうことかというと、30万円の給付案は、個人を救済対象とせず、家単位での給付を想定して設計していたということになります。裏返せば、廣田家の場合でいうと、フリーターで収入が途絶えた娘は家族で養うのが筋、という政府の姿勢が見えます。セーフティネットの役割を家族に果たさせようとする。これはかつて介護保険制度の改正によって、介護にあたる家族の負担が増えることになったのと同じ構図です。

収入がなくなったフリーターのダメージを家族内で吸収できる場合、家族に隠れてアンダークラスの苦境が見えにくくなります。こんな若者の例があります。この春から人気テーマパークに非正規で働き始め、テーマパークに近いアパートを借りたのですが、間もなく、新型コロナで休園。休業補償が低いため家賃を払えず実家に戻ったというのです。データがありませんから数字ではいえませんが、非正規労働者の収入減を他の家族でなんとかフォローしあうというのは珍しくないのかもしれません。

そう考えると、安倍首相が4月12日、ミュージシャンの星野源さんの楽曲「うちで踊ろう」の動画コラボレーション企画に、自宅でくつろぐ様子の動画をつけてツイッターに投稿したことに対し、「貴族か」「ルイ16世か」と不快感を催した人も少なからずいて、結果的に炎上したこともうなずける気がします。ただ、首相は国民をバカにしているつもりは全くなかったと思います。官邸は大真面目、採れる手段は何でも採るという必死さの表れだったと思います。しかし、安倍首相自身、裕福な家庭に生まれ育ち、現在は国会議員、官僚といったエリートに囲まれていますから、ある意味で閉鎖空間にいるわけです。国民の意識や生活実態とギャップが生じているのです。アンダークラスの苦境が正確に見えていなかったのでしょう。

収入減世帯への30万円給付案というのも、官邸という閉鎖空間からの眺めの産物だといえます。この案は、30万円を誰がもらえるのか、給付要件がわかりづらいという批判を受け、短日の間に方針がブレました。しかし、根本的な問題はそこにはありません。給付を受けた人が〝貧乏人の烙印を押される〟ということに、閉鎖空間にいるエリートが気づけなかったことにあります。

加えて、経済的に弱い立場にある人は情報的にも弱い場合が多いのです。給付についての情報がじゅうぶんに伝わらない恐れがあります。

給付手続きを簡素化するといっても、自分で手続きがなかなかできない人もいます。すると、実際には給付の対象になる人のなかに、そこからこぼれ落ちる人が相当数出てくることも考えられます。

仮に給付のラインを年収300万円で引いた場合、年収305万円の人はどう思うでしょうか。このような緊急時の場合、年収400万円の人も恨みに思うはずです。なぜならば、お金は何にでも使えるわけですから。これが30万円の現金ではなく30万円相当のサービス給付だったら、自分には必要ないという人も出てきたでしょう。

政府が30万円給付を強行していたら、政権は倒れていたと思います。

政治を「戦時の発想」に

新型コロナウイルスによる家計支援について、政権に対する国民の風当たりが厳しいにもかかわらず、立憲民主党や国民民主党などの野党が力を発揮できませんでした。その理由は、どの党も「小さな政府」路線をとっているからです。野党で比較的、大きな政府路線を唱えているのは、増税による中負担、中福祉を主張する前原誠司氏（国民民主党）のグループくらいです。与党の自民党も小さな政府路線です。

小さな政府路線の何が問題になるのでしょうか。簡単にいえば、小さな政府路線とは国民への再分配を絞って自由競争を促す。公共部門を民営化し、政府は借金を減らして身軽になり財務体質を改善するというものです。

小さな政府路線を堅持したまま、緊急時に給付金の規模だけを増大するとなったら、財源の壁が立ちはだかるのです。財源の裏付けのない給付金の増大は、ただのポピュリズムです。国民にはそこがわかっていますから、野党にも支持が集まりません。

それでも給付金を増やすとなると、そのツケは国債発行に回されます。なぜ政権が30万円給付に固執していたのかというと、財務省が、大量に国債を発行せずに済むのはここが天井だと判断したからだと思います。

ところが安倍首相は一転して30万円の給付を撤回し、国民一人当たり10万円の給付を決めました。首相の政策転換の背後にはどのような思いがあったのでしょうか。

4月10日、ジャーナリストの田原総一朗氏は首相官邸を訪ね、安倍首相と面会しました。その面談内容が4月14日、「緊急事態宣言発令後に、安倍首相に会って僕が確かめたこと」と題して投稿されています。正確を期するためポイントになる箇所を引用します。

〈安倍首相は、ついに4月7日、7都府県に「緊急事態宣言」を出した。

僕は、10日に首相官邸を訪れ、安倍首相に会った。

「緊急事態宣言が非常に遅れた。なぜこんなに遅れたのか。財務省が強い反対をしていたというが、それほど反対したのか」と、僕は率直に聞いた。

安倍首相は、「そうではない」と言った。実は「ほとんどの閣僚が、緊急事態宣言に反対していた」という〉（田原総一朗公式サイト）

その理由は日本の財政問題にあり、メディアは日本の財政は先進国中最悪で、早晩、破綻すると警告しており、閣僚も同じ認識でいて、新型コロナ対策のために数十兆円規模の財政出動をするなど、とんでもないと考えていたと、田原氏は書いています。

しかしその考えは「『平時の発想』である」と田原氏は切り捨てています。いまは「平時」ではない。「戦時」なのだと。

〈コロナウイルスが、世界に拡大し、日本でもこれだけ多くの感染者が出ている今、もはや「戦時」なのだ。

安倍首相はこうも言った。

「実は私自身、第三次世界大戦は、おそらく核戦争になるであろうと考えていた。だが、このコロナウイルス拡大こそ、第三次世界大戦であると認識している」。

政治を「戦時の発想」に切り替えねばならない。その認識が固まったので、緊急事態

宣言となったのだ〉（同前）

緊急事態宣言を出したために大小の差はあれ、経済的なダメージを多くの国民が受ける。限られた人への30万円給付では「戦時」を乗り切れない。その意味で田原氏が、「平時の発想」か「戦時の発想」か、とブログに書いた分析は正しかったということになります。「戦時の発想」が必要だということを強く認識し、安倍首相に観念としてではなく、現実の問題として認識させることに成功した政党があります。30万円給付案を覆した公明党です。その経緯を朝日新聞が詳しく伝えていますので、読んでみましょう。

4月15日午前、公明党の山口那津男代表は、安倍首相に面会しました。

〈「1人当たり10万円、所得制限をつけないで国民に給付する。ここで決断しないと終わりですよ」。山口氏は首相に迫り、連立離脱の可能性までちらつかせた。その剣幕に押された首相は「方向性を持って検討します」などと応じ、その場を収めた。会談後、山口氏は記者団に「積極的に受け止めていただいたと理解している」と語った。

その午後、首相は山口氏に電話で「両党の政調会長で協議してほしい」と打ち返した。

山口氏は「10万円の一律給付は、30万円を外して補正予算案へ組み入れるべきです」と求め、要求をつり上げた〉（朝日新聞デジタル、4月24日）

公明党の主張を、安倍首相はすでに自身が抱いていた「戦時の発想」の具体的な姿として捉えたのだと思います。「君子は豹変す」の故事の通りで安倍首相の方針転換は悪いことではありません。

この日の夕方、自民・公明両党の幹事長、政調会長が協議し、10万円の一律給付で一致しました。しかし、補正予算の審議入りが迫っていることから、実現のタイミングが課題になりました。自民党の岸田文雄政調会長は、今回の補正予算の組み替えに難色を示し、次の補正予算への先送りを提案しましたが、公明党は納得せず、この時点では折り合いがつきませんでした。

〈審議入りが迫る予算案を見直すには、時間の猶予はなかった。この日（16日）午前、公明はさらなる強硬策に出た。

山口氏は首相に電話し、補正予算案の組み替えを再度要求。衆院予算委員会の公明理事は、補正予算案の審議日程などを協議する懇談会への出席を拒み、中止に追い込んだ。「連立を組む党のやることか」。自民からは、そんな悲鳴が上がった。

「状況は大変だ。何か考えないといけない」。かつてない公明の攻勢を前に、首相は岸田氏に電話でそう伝えた。昼前に麻生太郎財務相（79）を官邸に呼び、経済対策の修正を指示。続けて二階、岸田両氏とも会談し、公明との調整を指示した。この会談後、岸田氏は記者団に「総理から調整するよう努力しろと言われた」と、硬い表情で繰り返した。

予算案を土壇場で組み替え、首相肝いりの30万円案を取り下げ10万円案に修正する。新型コロナ対策の現金給付をめぐる抗争は、公明の要求を政府がほぼ丸のみする形で、3日間でスピード決着した〉（同前）

10万円の一律給付について、公明党が一歩も譲らなかったことがよくわかります。なぜ、公明党はここまで強い危機意識を持っていたのでしょうか。

この疑問を解く鍵は公明党の支持母体である創価学会にあります。２０１４年11月に、公明党結党50年を記念して上梓された党史に山口代表が序文を寄せています。

〈公明党は1964（昭和39）年11月17日に、池田大作創価学会会長（当時）の発意によって結成された。「大衆とともに語り、大衆とともに戦い、大衆の中に死んでいく」（池田大作公明党創立者）の指針のもとで、大衆福祉の実現をめざして、活発に活動を展開し、2014（平成26）年11月17日、結党50周年の佳節を迎えた〉（公明党史編纂委員会『大衆とともに――公明党50年の歩み　増訂版』公明党機関紙委員会）

池田大作・創価学会第三代会長（当時）が提唱した「大衆とともに語り、大衆とともに戦い、大衆の中に死んでいく」という指針が、公明党の価値判断の基準なのです。実際、創価学会はさまざまな社会階層の会員で構成されています。

先ほど、30万円給付が強行された場合、本来支援されるべき経済的弱者が「家」というセーフティネットに吸収されて、給付を受けられない可能性、また給付者に対する周囲の視線について述べましたが、公明党は非常時に社会が分断されるような事態が起きることを危惧したのだと思います。しかも大衆に党の基盤を置く政党である以上、公明党は大きな政府路線を採ります。エリート中心の閉鎖空間にいる人たちの危機感とは質的に異なる民衆の皮膚感覚を体現する形で、公明党は与党にありながら、一旦決まった政策を動かしたのだと私は見ています。

アメリカ社会の断層

この章の冒頭で、30万円給付から10万円給付への転換を、安倍政権の動揺だと述べました。何が言いたいのかというと、格差拡大と分断の狭間で日本の国家と社会が揺れているのではないか、ということです。

当初、30万円給付を進めようとした官邸官僚や政治家といったエリートにはすでに、本当に困っている人が見えなくなっていたと思います。つまり、分断が起きかけていたのではないでしょうか。30万円の支給がなされていたならば、同じような経済的苦境にあっても、支給を受けられた人と受けられなかった人との間に断層が生じていたでしょう。社会から他者への共感を失わせる引き金になったかもしれません。

社会的分断が進んでいるといわれるアメリカでは、新型コロナウイルス感染が爆発的に広がり、死者が13万6千人（7月15日）を超えました。これだけの死者が出ると、常識的に考えるなら政権が持たないくらいの批判に晒されるはずですが、そんなに激しい批判はありません。もしかしたら、政治に影響を与える社会階層の人の目には、新型コロナで命を落とす割合が高いとされるアフリカ系アメリカ人やヒスパニック系の存在を意識することさえないのかもしれません。

先行事例として、２０１６年の米大統領選でトランプ氏を支持した人々の中に、下層白人層がありました。エスタブリッシュメントから見向きもされなかった人々がトランプ氏を熱狂的に支持する姿がメディアで報じられることによって、怒れる下層白人の存在が認識されました。アメリカ社会の断層は経済的格差だけではなく、制度的差別とそれに起因する格差も根強くあります。社会的な一体感は失われ、互いの存在が見えないくらいの分断が生じているのでしょう。

日本に話を戻します。国民一律に10万円の支給が決まりました。富裕層も生活保護を受けている人にも等しく10万円です。金持ちは受け取りを辞退せよという声がある一方で、生活保護を受けている人が10万円をもらうのはおかしい、と生活保護受給者を攻撃する人がいます。それ自体、恥ずべきことですし、ピントが外れています。しかし、次のように考えてみるとどうでしょう。10万円というお金が全国民を包摂したことによって、可視化されたものがあるのではないか。10万円の給付を受ける生活保護受給者を非難する人には、そうした人々の存在が見えている。だから非難するわけです。

つまり、生活保護受給者を攻撃する人たちは、自分たちの地続きにいる人々だと認識している。それでも格差は日本社会においても確実に拡大しています。しかしギリギリのところで、アメリカ社会ほどの分断にまでは至っていない、とはいえないでしょうか。

ただ、新型コロナが落ち着いて経済活動が再開されても、景気回復に時間がかかり、アンダークラスまでお金が回ってこなくなる可能性があります。それでなくても一度アンダークラスに転落すると、上の階層に上がりにくくなります。予想どおりアンダークラスが1000万人を超え、階層として一定の規模をもつと、独自の階層文化が生まれ、その文化の中にいる人々の間で再生産が始まるでしょう。そうなると、日本社会の分断が起きるかもしれません。

限られた人への30万円給付から、国民一律10万円給付への転換は、分断と格差拡大の狭間で揺れる日本の隠喩のようにもみえます。格差を分断にまで至らせない。今後の課題の一つだと思います。

「#検察庁法改正案に抗議します」の爆発力

さて、話を自宅待機中の令菜に戻します。ソファーでSNSをチェックしているところに「#検察庁法改正案に抗議します」というツイートが流れてきました。検察庁法のどこが改正されるのか、事情はよくわからないけれど、芸能人も反対しているし、投稿数もすごいから令菜も同じ#をつけて投稿するかもしれません。

なぜ、突然、何人もの芸能人が政治的なツイートを行い、500万を超えるツイートにまでなったのでしょうか。

近代の代議制、つまり選挙で自分たちの利益を代表してくれる人を選び、国政や地方政治の場に送り出すという行為が一般市民にとっての政治です。選挙が終われば市民は政治をせずに、経済活動や文化活動を通じ、それぞれの欲望を追求します。ヘーゲルやマルクスが指摘した、近代資本主義社会における「欲望の王国」です。つまり、経済が成長している限り、あるいは自分たちの生活を脅かすほどの経済問題がない限り、市民は政治化しないのです。

ところが今回の新型コロナの影響で景気の落ち込みが誰の目にもわかり、経済的な不安が広がりました。そんなときに、経済対策以外のところで、国家公務員法の定年延長について の規定を検察官にも適用できると解釈し、検察官の定年延長を閣議決定。それを後づけで検察庁法を改正し、定年延長についての法的裏付けをしようとしている。新型コロナのどさくさに紛れてずるいことを！　これはけしからんということで、突如、政治化し、検察の体質もわからないまま、ＳＮＳで爆発的に拡散された。不満のはけ口になったのだろうと思います。

「＃検察庁法改正案に抗議します」拡散の原動力になった人物として注目された、80年代の人気アイドルで女優の小泉今日子さんは5月25日、「こんなにたくさんの嘘をついたら、本人の精神だって辛いはずだ。政治家だって人間だもの」と安倍首相を批判するツイートをしました。５月31日、小泉さんは日本共産党機関紙「しんぶん赤旗」に登場しました。このまま、小泉さんは政治に異議申し立てをする際のアイコンになるのでしょうか。経済活動が再開されれば、一般市民の関心は自分の欲望追求に向くはずです。それでも政治に関心を持ち続け、将来、政治的な問題が起きたときに、小泉さんに限らず、有名人が異議申し立てをしたときにそのアイコンに追随するのでしょうか。そうなる可能性は十分あると思います。

ハラリモデルとトッドモデル

「タラレバ言ってたら時代が変わってしまった」

令菜の独白に倣って、

「新型コロナで自粛、自粛と言ってたら時代が変わってしまった」

この言い方は成り立つと思いますか？

ここまでは、新型コロナ禍が影響を及ぼした個人の生活や仕事を構造的な問題へつなげ、今後考えるべき課題として提示しました。

ここからは、序章の締めくくりと次章への橋渡しを兼ねて、緊急事態宣言全面解除後のニューノーマルの世界は、新型コロナ禍前の世界と比べ、どのような世界になるのか――2人の学者の見解を紹介します。両者とも世界の論壇に影響力のある人物です。

〈新型コロナの嵐はやがて去り、人類は存続し、私たちの大部分もなお生きているだろう。だが、私たちはこれまでとは違う世界に暮らすことになる〉（日本経済新聞電子版、2020年3月30日）

こう書いたのは、イスラエルの歴史学者ユヴァル・ノア・ハラリ氏です。著書『サピエンス全史』『ホモ・デウス』は世界的ベストセラーになりました。

〈新型コロナウイルスのパンデミックは歴史の流れを変えるのではない。すでに起きていたことを加速させ、その亀裂を露見させると考えるべきです〉(朝日新聞デジタル、2020年5月23日)

こちらは、フランスの人口学者エマニュエル・トッド氏が朝日新聞のインタビューに答えた一節です。ソ連崩壊を予言したことで知られ、2002年の著書『帝国以後』が世界的ベストセラーになりました(日本語版は2003年)。

ハラリ氏は、新型コロナ後の世界の状態を「抜本的な変化」と考えています。新型コロナ感染拡大防止を大義名分とした国家による市民監視を許すか否か。長期間の海外渡航禁止による国際社会の機能麻痺からどう脱却するかを、主な論点にしています。

一方、トッド氏は「すでに起きていた変化の加速」だといいます。グローバリズムの進展によって、すでに医療を含む公共性の高いインフラが「合理化」されていたこと、経済的な格差拡大が進んでいることなどを挙げ、新自由主義で生じた社会制度の脆弱性や矛盾を新型コロナウイルスに突かれたと捉えています。

　両者の言説は、どちらが正しいという性質のものではありません。そもそも、新しいタイプの疫病の世界的拡大が人間社会にどんな影響を及ぼしたのかを巨視的に捉えることができるのは、事態が落ち着いた後から振り返って初めて見えてくるからです。

　2人の言説は、新型コロナ禍で起きた変化とニューノーマルという生活様式が私たちの仕事や暮らしに今後及ぼしうる影響と、こうした状況下でどのような思想を軸にして生きていくべきかを考える上で示唆に富んでいます。

　そのキーワードは、新自由主義、国家と市民、監視、格差、グローバルです。次章では、2人の言説を検討し、私の考えを述べていきたいと思います。

　これらのキーワードは私たちの遠くにあるものではありません。ここまで見てきた通り、『東京タラレバ娘』の廣田令菜のキャラクター設定がまさに、作者の意図は別として、国による新自由主義的な規制緩和や社会保障政策の転換、それに呼応した企業の雇用形態の多様化による産物の、新型コロナ禍における日常として説明できるわけですから。

第1章　リスクとクライシスの間で

神に祈るしかなかったペスト禍

2003年、人間はヒトゲノムの解析を完了しました。自身の生命の設計図を知ったことによって、自分たちの生の可能性を大きく広げられることに気づきました。医学の分野では、遺伝子を操作したデザイナーベビーが現実味を帯び、あるいは再生医療にも応用する道が開け、超富裕層は自分たちの思い通りの能力や容姿の子どもを持ち、自身は不死の体を手に入れることも夢ではないと言われていましたが……。

いま、肉眼では見ることができない新型コロナウイルスに、人間の「生」が振り回されているありさまです。新型コロナを抑え込む決定的なワクチン開発にはまだ時間がかかりそうです。それまでは、人と人との密な接触を避ける、手洗いの励行、マスク着用などという「素朴」な方法しか感染を防ぐ手立てはありません。

〈……三〇〇〇年紀（西暦二〇〇一～三〇〇〇年）の夜明けに人類が目覚めてみると、驚くべき状況になっていた。ほとんどの人はこんなことはめったに考えないだろうが、この数十年というもの、私たちは飢饉と疫病と戦争を首尾良く抑え込んできた〉（カッコ

内は引用者）

これは、ユヴァル・ノア・ハラリ氏の『ホモ・デウス』（柴田裕之訳、河出書房新社）の一節です。イスラエルの歴史学者による世界的ベストセラーで、有史以来、人類を悩まし続けてきた飢餓、疫病、戦争がいまや克服されつつあるという認識のもと、将来、人工知能や医療が高度に進化し、一部の人間が死なない身体を手に入れ、神の座につく可能性と、人類がたどる未来について考察しています。

新型コロナウイルスの感染が世界的に拡大している現下、ここで引用した一節を素直に読むことができるでしょうか？

ハラリ氏は、疫病に関して、中世ヨーロッパを襲い、神に祈るほか為す術《すべ》がなかったペスト、医学が発達した現代のエイズやＳＡＲＳ《サーズ》（重症急性呼吸器症候群）と人類の関係について述べ、人類は疫病を克服する方向に向かっていると述べています。ＳＡＲＳの終息宣言が出されたとき、罹患者数８４３９人、死者数は８１２人でした。

新型コロナウイルスは6月末の時点（日本時間）で、全世界で感染者数は約１０００万人。死者数は50万人を超え、感染を抑えるため、人々のローカルな移動もグローバルな移動も消えました。世界経済も麻痺状態に陥りました。

ＩＭＦ（国際通貨基金）のゲオルギエワ専務理事は「前代未聞の危機に見舞われている」とし、「世界経済は停止した。現在はすでにリセッションに陥っている。状況は２００８―09年の世界的な金融危機時よりもはるかに深刻だ」（朝日新聞デジタル、４月４日）と述べました。

ＩＭＦといえばグローバリズムの主要な旗振り役の組織のひとつです。グローバル化によって国際分業が進んだ世界では、ひとつの国が新型コロナウイルスの感染拡大を防ぐために経済活動を止めれば、需要も供給も消失します。時間差で人間の生存に不可欠な需要である食料や生活必需品の供給不足が起きる可能性さえあります。３月、新型コロナウイルスの感染拡大で、アメリカで株価が乱高下を繰り返したとき、自動売買を司るＡＩが〝前例がない〟値動きのために機能不全を起こしました。私たちの世界がいかに脆弱なシステムで動いているのかを、やがて身をもって知ることになるかもしれません。ヒト・モノ・カネ、そして情報の移動がかつてなく大量かつ速くなった世界そのものを新型コロナウイルスが蝕んでいることは否定できないと思います。

ＩＭＦは６月、２０２０年の世界経済の成長率をマイナス４・９％と予測しました。損失額にすると2020年から2021年の2年間で、約1300兆円にのぼると試算しています。

SARSやエイズによる死者、新型コロナによる死者、経済的損失も、14世紀に1億人が亡くなったと推計されるペストの大流行によるダメージとは比べものにならず、歴史的な視点に立てば、ハラリ氏が主張するように、「この数十年というもの」人間は疫病を「首尾良く抑え込んできた」といえるのかもしれません。

しかし、いまではその見解は当てはまらないと思います。新型コロナウイルスの感染が広がり、第2波への警戒が呼びかけられるようにもなって、真の終息がいつなのか誰にもわかりません。ウイルス感染は他人ごとから自分自身の問題になっています。いずれ自分も感染するかもしれない。目に見えないものによって生命が脅かされるという不安に加え、日常生活を送るための経済的な基盤も脅かされているとき、歴史的な視点に立てば、疫病は克服されつつあるという話は、人々の慰めにはならないでしょう。

つまり、ハラリ氏が提唱する飢餓・疫病・戦争が克服されることを前提にした未来予測モデルは後退すると思うのです。この章では、新型コロナウイルス感染拡大が落ち着いたとして、どのような近未来が考えられるのかをみていきたいと思います。

序章で紹介したように、ハラリ氏は日本経済新聞への寄稿において次のように記しています。

〈人類はいま、世界的な危機に直面している。おそらく私たちの世代で最大の危機だ。私たちや各国政府が今後数週間でどんな判断を下すかが、今後数年間の世界を形作ることになる。その判断が、医療体制だけでなく、政治や経済、文化をも変えていくことになるということだ。

（中略）新型コロナの嵐はやがて去り、人類は存続し、私たちの大部分もなお生きているだろう。だが、私たちはこれまでとは違う世界に暮らすことになる〉（日本経済新聞電子版、3月30日）

どのような点で「違う世界に暮らす」ことになるとハラリ氏は考えているのでしょうか。ハラリ氏は「新型コロナの嵐」が去った後の世界の姿は、新型コロナ禍によって可視化された問題に対し、国際社会、あるいはそれぞれの国、市民がどのように考え行動するかにかかっているとし、私たちは2つの重要な選択に直面していると記しています。

〈新型コロナウイルスの感染拡大を食い止めるには、全ての人が一定の指針に従わなければならない〉（同前）

ハラリ氏は議論の前提をこのように立て、一定の指針に従う方法として「全体主義的な監視」を選ぶか、「市民の権限強化」を選ぶか、という選択があるといいます。これが1番目の重要な選択です。

ハラリ氏の寄稿が新聞に掲載されたのと同時期のことです。私は、イスラエルの情報機関・モサドの元幹部からの電話を受けました。彼の話はハラリ氏の論考に具体性をもたせる形にもなって興味深く、「ポスト新型コロナ禍」の世の中を考えるヒントになるのではないかと思いましたので、紹介します。

ハラリ氏は「全体主義的な監視」として、政府が市民を、ＩＴ技術を駆使して監視し、ルールを破った人間に警告したり罰したりすることによって、一定の指針に従わせる方法を挙げています。

モサドの元幹部の話はこの点に関連するもので、3月下旬当時、テルアビブ（イスラエルの首都）では、外出制限のために、食品や薬品の買い物や通院で外に出ている人以外、人っ子一人動かない状態だと話してくれました。

イスラエルは3月中旬には全世界からの入国を原則として禁止するなど厳重な防疫態勢をとってきました。国民に向けては、自家用車でやむなく外出するときに乗車できるのは2人まで。タクシーは後部座席に1人。公共スペースや職場などでは人と人との間隔を少なくとも2メートル空けるなど、細かい制限が設けられていて、違反者は刑法罰に問われます。

罰則付きの外出制限は他国でも行われていますが、イスラエルらしいと思ったのは、新型コロナウイルスの感染者のスマートフォンに侵入して行動を把握するという点です。侵入したスマホのGPS情報から、感染者がどこをどう移動し、誰に会ったのかがわかる。感染拡大の恐れがあると判断した場合、スマホに警告を送っているというのです。これは議会の承認を経ずに行われているそうです。個人のスマートフォンをハッキングする手法は本来テロリスト対策に使われるものです。

イスラエル国民であるハラリ氏もまさにその点に言及しています。

〈イスラエルのネタニヤフ首相は最近、イスラエル公安庁に対し、新型コロナの患者を追跡するために通常はテロリスト対策にしか使わない監視技術の利用を認めた。議会の関連小委員会は許可を拒んだが、ネタニヤフ氏は「緊急命令」を出して、これを押し切った〉（同前）

イスラエルがそこまでして新型コロナウイルスの感染を防ごうとするのは、第2次世界大戦時のゲットーの記憶があるからだと思います。ユダヤ人の強制居住区域であるゲットーは、中世ヨーロッパに起源を持ち、20世紀に入って消滅していますが、ナチス・ドイツによって建設されたゲットーはその環境の劣悪さ、また、絶滅収容所移送までの一時的な居住地の役割も果たしていたという点において、かつてのゲットーの比ではありませんでした。たとえば、ポーランドに設けられた、最大のゲットー、ワルシャワ・ゲットーでは栄養、衛生状態の悪さから発疹チフスが流行し、餓死者も含め約10万人のユダヤ人が命を落としたとされています。当時は満足な医療体制もなく、罹患者たちはバタバタと倒れていきました。もし、新型コロナウイルスの感染が爆発的に広がると医療崩壊を招き、同じような事態が起きかねません。自国民に対する強権的な行動規制や個人情報の収集は、ゲットーでの悲劇を再び起こしてはならないという国家の強い意志の表れだと思います。

ＩＴ技術による市民監視という点では、新型コロナウイルスの感染爆発を世界で最初に起こした中国のほうが徹底しています。

〈中国当局は市民のスマホを細かく監視し、顔認証機能を持つ監視カメラを何億台も配置して情報を収集し、市民には体温や健康状態のチェックとその報告を義務付けることで、新型コロナの感染が疑われる人物を速やかに特定している。それだけではない。その人の行動を追跡し、その人物と接触した者も特定している。感染者に近づくと警告を発するアプリも相次いで登場している〉（同前）

私的領域に踏み込み続ける国家

こうした全体主義的な監視の問題点はどこにあるのでしょうか。自分の命を守ることが最優先される状況で、国家による個人の生活様式への介入や健康状態のモニタリングは、ある程度やむを得ないという気運が醸成されつつあると思います。ハラリ氏は監視を許容する・しない以前の問題として、国家による監視方法を私たちは正確に知らないし、将来、どのように監視されるのかもわからない、と危惧を表明します。いつ、誰が誰と、どこで、どのくらいの時間接触したか。仮に、国家による監視が現在このレベルだとすると、これは「皮膚の上」の監視だと言います。警戒すべきは、近い将来実現するかもしれない「皮下」の監視。つまり個人の体温や心拍、血流などのモニタリングです。

〈ある政府が体温と心拍数を24時間測定する生体測定機能を搭載した腕時計型端末を全国民に常に装着するよう求めた、と考えてみてほしい。

その政府は測定データを蓄積し、アルゴリズムで分析する。アルゴリズムによって当該人物が何か病気にかかっているかを本人よりも先に識別するだけでなく、どこにいたか、誰と会っていたかまで把握することが可能になる。そうなれば感染が連鎖的に広がるのを劇的に短期間で抑え込めるようになるだけでなく、その感染すべてを封じ込めることさえ可能になるかもしれない。こうした仕組みがあれば、特定地域で流行するエピデミックなら発生から数日で阻止できるかもしれない。「それは素晴らしい」と思うだろう〉（同前）

国家が感染症拡大防止という目的以外に使わない、感染症が終息するまでの一時的な措置だというのであれば、百歩譲って許容できなくもない、という人もいるでしょう。

しかし、国家はそんなに甘くはありません。前々から述べていますが、身体も含めた私的領域にいったん国家を踏み込ませてしまうと、危機的状況が終息した後であっても、そこから国家を退出させることは難しくなります。

イスラエルの例をハラリ氏は挙げています。1948年の第1次中東戦争（イスラエル独立戦争）のときに、政府はメディアの検閲、土地の押収から果てはプディング（プリン）の生産の規制に至るまで緊急措置を出しましたが、その多くの措置がいまだに解除されていないといいます。

プディングの生産規制さえ2011年までイスラエル政府は手放そうとしませんでした。国家とはそのようなものだということがよくわかるエピソードだと思います。それだから国民の「皮下」を知ることができる監視を許してしまったら、国家はそれを恒久的なものとして正当化する恐れがあることを指摘します。たとえば、ハラリ氏が、トランプ大統領に批判的な米CNNテレビのリンクではなく、共和党寄りで保守的なフォックスニュースのリンクをクリックしたことを国家が知れば、政治観、性格まで把握されるかもしれない、と述べています。

ハラリ氏の懸念を補足すれば、次のようなことが言えると思います。皮下監視によるデータが集積されれば、個人があるものを見聞きしたときの心拍や血圧、体温の変化で、共感しているのか反発を感じているのか、アルゴリズムによる分析で掴むこともできる、と。

いま、新型コロナ感染症拡大防止を名目に、国家に市民の監視を許したら、その後、どこまで踏み込まれるかわからない。そんな選択をしないためにハラリ氏が強調するのが「市民に力を与えること」です。

その結果、新型コロナ感染防止についていえば、必要以上の個人情報を国家に与えることもなく、健康を守ることができるのだとしています。

「市民に力を与える」例として、新型コロナの封じ込めに成功したとされるシンガポールと台湾、韓国を挙げています。その理由は、いずれも追跡アプリを活用しているけれども、市民に対し、新型コロナについての科学的な情報開示が行われていることが大きく、そんなオープンな姿勢の政府を市民は信頼し、市民の側からも積極的な協力が得られているからだと言います。

ただ、シンガポールは新型コロナの感染が拡大する前から、監視カメラが隅々まで据え付けられていた監視社会です。新型コロナ感染が拡大してからは公園で社会的距離がとれていない人にはロボット犬が警告をします。言論も統制されているソフトファシズム的な国で、国民も国に見られていることを前提に振る舞うことが内面化されている可能性がある。その点は忘れてはならないと思います。

日本の場合はどうでしょうか。新型コロナウイルス感染者に濃厚接触した疑いがある人に通知されるスマホ用の接触確認アプリが6月19日、リリースされました。6月23日の時点でダウンロード数392万。ちなみに同時期にドイツでも同様のアプリがリリースされ、こちらはダウンロード数が1000万に達したのだそうです。国民の60%がこのアプリを使うことで効果が発揮されるそうですが、日本のスマホユーザーは約7000万人。その60%は4200万人ですから、まだまだです。

ダウンロード数が大きく伸びないのは、日本国民が政府をあまり信用していないからかもしれません。ちなみにマイナンバーカード取得率は全住民で15%、国家公務員でさえ58%ですから、日本国民は個人情報を国に管理されることへの根源的な警戒感があるのかもしれません。日本には、そんなアプリの代わりに「同調圧力」が、目には見えないけれど、アプリ以上に有効な感染拡大防止策になっているのかもしれません。

国境に〝壁〟ができたEU

ハラリ氏が挙げる、もう一つの重要な選択が「国家主義的な孤立」か「世界の結束」か、というものです。結論からいえば、新型コロナウイルスに関する情報共有、医療機器の生産や分配に関してのグローバルな協力の必要性が説かれています。他に国際協調が必要な分野として、経済協力、人の移動に関する国際間の取り決めが挙げられています。ところが、現実はどうでしょうか。

〈各国とも残念ながら現段階では、今、挙げたような取り組みをほとんどしていない。国際社会は現在、集団的まひ状態にあり、誰も責任ある対応を取っていない〉（同前）

モサドの元幹部も、国際社会が集団的な麻痺状態に陥っていることがうかがえる例を私に話してくれました。彼は、感染者が9万人、死者が1万人を超えたイタリア（当時）を例に挙げました。イタリアで新型コロナウイルスの感染が拡大し始めた頃、国境を接するスイス、オーストリア、スロベニアには比較的余力があった。そうであるにもかかわらず、イタリアを支援しようとしなかったというのです。スイスの一部医療機関がイタリアの新型コロナ感染者を受け入れているものの、国を挙げて支援していたわけではありません。それどころかスイスは、人口が1千万人に満たないのに、4月5日時点で、新型コロナウイルスの感染者が2万人に達していますから、他国の支援どころではなくなっています。

イタリアと国境を接するスロベニアとオーストリアはEU加盟国です。新型コロナの感染が深刻化すると、この両国に限らず、EUを牽引するドイツもフランスも国境に〝壁〟ができました。EUは単一市場、単一通貨、域内市民の移動の自由を実現した地域統合体です。何世紀にもわたり争いを繰り返してきた欧州諸国が協調し共存することを目的にした欧州統合への動きは、1952年に設立されたECSC（欧州石炭鉄鋼共同体）以来、さまざまな難題に直面しつつも前進してきた歴史があります。それでも、非常事態に陥ると「国」単位で行動してしまうものなのだ、と改めて思わずにはいられません。

モサドの元幹部は、EUが機能停止同然になっている状況を敷衍して、新型コロナウイルスの感染拡大が国際政治のパラダイム（ある時代に支配的な認識の枠組み）転換に通じるのではないかという見通しを語ってくれました。

EUのあり方については、フランスの人口学者エマニュエル・トッド氏が興味深い見解を示しています。これは後で紹介したいと思います。

さて、ハラリ氏は新型コロナ禍におけるアメリカの不在を指摘していますが、これも国際政治のパラダイム転換が起きるという予測を補強するものだと思います。

〈2008年の世界金融危機や14年のエボラ出血熱の流行など、過去に世界規模の危機が起きた際は、米国が世界のリーダー役を担った。しかし現在の米政権はその役割を放棄し、人類の将来より米国を再び偉大な国にする方が大事だとの立場を隠そうともしていない。（中略）

米政権が今後、方針を転換してグローバルな行動計画を作ったとしても、何についても責任を取ることも、過ちを認めることも決してない一方で、手柄はすべて自分のものにして、問題が起きれば誰か他人のせいにする指導者に従う人はいないだろう。米国が抜けた穴を他の国々によって埋められなければ、感染拡大を食い止めるのが難しくなるだけでなく、新型コロナの感染拡大による打撃は長く国際関係に影響していくことになる〉（同前）

新型コロナ禍が世界を席巻する前からアメリカは内向きになっていました。その穴を、中国が埋めることができるのでしょうか。ロシアが埋めることができるのでしょうか。両国とも権威主義的国家です。その価値観を共有する国は多くありません。さらに、両国とも大国かもしれませんが、スーパーパワー（超大国）といえるほどの国力はありません。アメリカの代わりを果たすことは難しいでしょう。かといってEUがリーダーシップを発揮できるとも思えません。

その意味で、国際社会を束ねるだけのイニシアチブを発揮できる国家の登場を待つよりも、それぞれの国は国家機能を強め、生き残りのために内向きになっていくのかもしれません。一方で、グローバリズムの進展により、金融・経済活動の国際的な相互依存の度合いはすっかり深くなっています。両者の矛盾が今後どのような形で現れるのかも、序章でみたように個人の生活に関わっていますから、注意深く観察する必要があります。

ディストピア的な選択

さて、ハラリ氏が提示した2つの選択を改めて検討してみましょう。1つが「全体主義的な監視」か「市民の権限強化」か、という選択です。2つ目が「国家主義的な孤立」か「世界の結束」か、という選択。どちらも前者の選択はディストピア的な世界の到来を示唆し、後者はユートピアとまではいかないものの、前者に比べれば、ましな世界の到来を予感させるように思います。

読者も感じていると思いますが、ディストピア的な選択の語り口は具体的で説得力があります。一方、よりましな選択のほうは理念的でご説ごもっともなのですが、そこに至るための具体的な道のりの提示が弱いように思います。

どういうことかというと、ディストピア的世界は、すでに起きていて、かつ新型コロナ禍がいまも進行していることの延長線上にある未来。だから具体的で誰もが想像しやすいと思います。他方、よりましな世界は、過去、その芽は生じていたとしても十分に育つことはなかった。理念としては命脈を保ち続けていても、現実に反映されることが少ないのではないでしょうか。

ハラリ氏が記した「違う世界に暮らす」という表現を捉え直してみましょう。よりましな世界を選択することができれば、それは人類が質的にも時間的にも経験したことのない世の中が現出することになるわけですから、「違う世界」に暮らせる可能性があるといえます。ディストピア的な世界を選択すれば、すでに起きていたことに拍車がかかるに過ぎませんから、連続的な変化だといえます。「違う世界」とは、このように分節できるのではないかと思います。

「戦争」に喩える人たち

新型コロナ禍によってもたらされる世界を、「すでに起きていた変化がより劇的に表れていると考えるべき」と、乾いた視点で述べているのが、フランスの人口学者、エマニュエル・トッド氏です。

ここからは朝日新聞によるトッド氏へのインタビューから、近未来の姿を考えていきましょう。まず、現下の新型コロナ禍をどう捉えるか。まず、私の見解を述べます。2月上旬の時点で、今回のことは「リスク以上、クライシス未満」とみていました。この見解はいまでも変わりません。なぜならば、季節性インフルエンザの死者数と比べた場合、新型コロナの致死率が極端に高いわけではないから、そして基礎疾患のある人、高齢者を除けば、重症化リスクが低いからです。

ところが、世界の指導者の中には、新型コロナ感染拡大を「戦争」に喩える人がいます。

トランプ米大統領、安倍首相、マクロン仏大統領などがそうです。

フランスでは3月17日から5月11日まで、都市封鎖（ロックダウン）が行われ、商業施設の閉鎖、学校の一斉休校、市民に対しては罰則を伴う外出規制などが課せられました。

こうした措置をみれば、戦争に喩えたい気持ちがわからないではありません。

しかし、トッド氏はこうした言説を「ばかげている」と切って捨てています。


〈この感染症の問題は、あらゆる意味で戦争とは違うからです。ただ、支配層の一部がその表現を使うことに理由がないわけではない。彼らは自らの政策が招いた致命的な失敗を覆い隠したいわけです〉（朝日新聞デジタル、5月23日）

トッド氏は自国フランスの例を挙げ、新型コロナ禍をめぐり、フランスで起きたことのかなりの部分が、1990年代初頭からの政策、踏み込んで言えば失策の帰結だと指摘しています。

〈人々の生活を支えるための医療システムに割く人的・経済的な資源を削り、いかに新自由主義的な経済へ対応させていくかに力を注いできた。その結果、人工呼吸器やマスクの備蓄が足りなくなった。感染者の多くを占める高齢者の介護施設も切り詰めてきた。フランスは発展途上国の水準になりつつある。新型コロナウイルスは、その現実を突きつけたのです。2万5千人以上の死者を出した今、マクロン氏の政治的レトリックを真に受ける人はいないでしょう〉（同前）

医療システムがやせ細っているのは日本も同じです。1990年をピークに一般病床数は減少し続けています。感染症で重症化した患者を治療するICU（集中治療）病床数でいえば、日本集中治療医学会は人口10万当たりベッド数を5床程度としてきました。この数字だと医療崩壊を起こした12床程度のイタリアよりも少なくなり、主要先進国の中でも下位になります。ところがコロナ禍の5月、厚生労働省が「ICU等の病床に関する国際比較について」と題し、日本の人口10万人当たりICU等病床数が、13・5床と発表しました。この病床数だと先進国の中でも上位になります。日本集中治療医学会も厚労省の数字に足並みを揃えました。

幸いにして、日本での新型コロナの感染者数も死者数も先進国の中でも圧倒的に少ないのですが、もし、欧米諸国と同じような感染拡大が起きていたら、日本で医療崩壊が起きなかったとは言い切れません。実際、4月6日、東京都医師会は医療的緊急事態宣言を発表しているのですから。

トッド氏は、かつてSARSやエボラ出血熱などの感染症が発生したときに、専門家が医療体制の脆弱性を指摘していたことを挙げ、今回、それが可視化したと言います。

〈多くの国が直面している医療崩壊は、こうした警告を無視し、『切り詰め』を優先させた結果です。時間をかけて医療システムが損なわれたことを今回のウイルスが露呈させたと考えるべきでしょう〉（同前）

ただ、このような結果を招いたのは、政府の一方的な責任だとは言えません。フランスでいえば、現大統領のマクロン氏だけではなく、サルコジ、オランドの歴代大統領にも責任があり、また、こういう人物をリーダーに選んだ自分たちの世代にも責任があると言います。

全くそのとおりで、2000年代初頭の小泉構造改革から約20年の私たちの選択を顧みれば頷けるのではないでしょうか。いつの間にか私たち自身に、自己責任、効率優先――卑近なところでいえば、あらゆる物事を「コスパ」のよしあしで判断する――といった新自由主義的な価値観に合わせた行動や考え方をどの程度しているのか、今後、別の選択をするとすれば、それはどのようなもので、どう行動すれば可能になるのか、自己点検する時期なのかもしれません。

貧富の差による感染リスクの差

朝日新聞によるトッド氏へのインタビューはビデオ通話によって行われました。同氏はフランス北西部ブルターニュの別宅で取材に応じました。

〈感染が広がる前にこちらに移りました。庭があり、パリよりも人が少ない。言うまでもなく特権的です〉（同前）

自分の立ち位置を明確にしたうえで、貧富の格差が新型コロナ感染リスクの差になっていると言います。

〈庭付き別宅を持つ階層と、庭なしの自宅に住む階層との間ではリスクが違います。私たちは、医療システムをはじめとした社会保障や公衆衛生を自らの選択によって脆弱にしてきた結果、感染者を隔離し、人々を自宅に封じ込めるしか方策がなくなってしまった。その先でこのように貧富の差による感染リスクの差が生まれているわけです〉（同前）

格差の拡大が進行し続けているところに、新型コロナ禍が起き、貧困層が感染リスクにさらされることで、さらに格差が拡大してゆく、という見方です。

〈短期的には既存の経済的な不平等が激化するでしょう〉（同前）

格差拡大をもたらしたのが、繰り返し述べているように新自由主義です。新自由主義はグローバリズムとセットです。コロナ禍によって、グローバリズムの象徴である国境を超えたヒト・モノ・カネの移動が止まり、世界経済が麻痺したことで、行き過ぎた新自由主義への反発が出てきました。しかしこの反発も私たちは「すでに知っていた」とトッド氏は言います。たとえば、イギリスのEU離脱やトランプ米大統領のアメリカファーストという政策を通じて知っているというのです。

また、新自由主義への反発を「すでに知っていた」のではなく、今回、新自由主義の危うさに「気づいた」例もあります。コロナに感染したイギリスのジョンソン首相のビデオメッセージです。ジョンソン首相は保守党党首であり新自由主義者と目されている人物です。退院後、医療従事者や市民ボランティアに謝意を表し、「社会というものが本当に存在する」と述べました。これは、80年代、新自由主義を推し進めたサッチャー首相の「社会など存在しない。あるのは個人とその家族だ」という発言を意識したものであることは明らかです。

〈新型コロナウイルスのパンデミックは歴史の流れを変えるのではない。すでに起きていたことを加速させ、その亀裂を露見させると考えるべきです〉（同前）

すると、新型コロナ禍で機能麻痺に陥った国際社会が、今後、その亀裂を大きくさせたくないと考えれば、求められるのはハラリ氏も主張するように、「世界の結束」ということになります。トッド氏はこう述べます。

〈国際協調するべきかと問われればイエスですが、EUの存在感はありませんね。その意味でメルケル首相は正しかった〉（同前）

いまやEUは〝ドイツのEU〟とも言われることがあるのに、ドイツのメルケル首相が正しかった、とはどういうことでしょうか。

〈マクロン氏は自国の対策も打ち出せない中で、当初から『欧州の結束』『欧州の主権』などと叫んでいましたが、メルケル氏はその間に、ドイツ国民へ向けて何をするべきかを語りかけていました。興味深いことに、その演説の中に欧州の話はありませんでした〉（同前）

強烈な皮肉のようにも聞こえますが、案外、EUの現状をメルケル首相が図らずも明らかにしたのかもしれません。もともとＥＵに対して批判的なトッド氏は、国際協調はＥＵとしてする必要はなく、国単位ですればいいと言います。

序章で述べたように、現時点では、新型コロナ禍が終息した後の世界は、すでに起きていることの加速、つまり変化に過ぎないのか、ハラリ氏が考える違った世界に暮らすことになるのか、結論は出せません。私は今回の新型コロナ禍を、リスク以上、クライシス未満と考えていますから、いまのところ、トッド氏の見解に近い立場をとっています。

戦力の逐次投入という最悪の手

トッド氏のインタビューで興味深いと思った点が２つあります。

１つは、新型コロナ感染症対策が比較的うまくできた国と失敗した国とでは、国民の政府や政治エリートに対する信頼に差が生じると述べていることです。信頼が高まることが予想される国の例として韓国やドイツを挙げています。これらの国は歴史上、権威主義的な政治を経験した国だという共通点があることを指摘しています。日本も同じ権威主義の歴史がありますが、政治エリートに対する信頼が下がっていることを付け加えておきます。

〈一方で英仏などは政治家がろくな対策を打てず『ひとまず家にいてください』と言うしかない状況だった。でも市民は、それなりに秩序立った社会を維持した。『エリートが機能しなくても社会の統制はとれる』という経験をしたことは大きい。このような国では、既存のエリートの正統性がますます失われていくでしょう〉（同前）

欧米の場合、個人主義的でリベラルな歴史があります。国家と社会の関係は契約を媒介にしているという考え方が強い。社会の統制は、国の指針というゲームのルールがあり、それに対してどう行動するかは自分で考えて判断するという関係が基本になってできています。だから今回のような強制力を伴う都市封鎖で商業施設などに休業を「命令」することに対しては「補償」がセットになります。

日本の場合、緊急事態宣言は出されましたが、すべて自粛要請というお願いベースの話でした。これはルールではありません。ではなぜ、日本で劇的に人の移動が止まったのかというと、同調圧力によるものです。周りを見て自分の行動を決める。みんな外出していないから自分も外出しない。自分だけ外出すると周囲の目が怖い。自立した個による判断という発想ではありません。

飲食店や個人商店に対しても休業の「お願い」ですから、制度としての補償はついてきません。不満の高まりに応じて、対症療法的に制度を設計するから時間差が生じます。いま運転資金が必要なのに、持続化給付金が届く頃には手遅れになり、最初に大きな網を投げて給付対象を決めないから、ずるずると対象を広げてゆく。これは戦力の逐次投入という、日本軍が太平洋戦争で失敗した最もまずい手を想起させます。

全国民への一律10万円支給も補償というより、みんな外出を我慢していい子にしていたね、という国からのご褒美の意味合いが強いと思います。

ただ、人間は群れを作る動物だから必ず秩序はできます。その秩序の作り方が国によって違うだけで、こちらがよくて、あちらが悪いということではありません。

トッド氏が言うようにヨーロッパでエリートが機能しなくても社会が機能しているのは、個人主義的な価値観が浸透しているのと同時に、「食べて寝る」という実生活を担保してくれる家族という単位がしっかり保たれているからだと思います。

ただし気をつけたいのは、家族というセーフティネットからこぼれ落ちる人が必ずいるということです。その人たちに見返りを求めずに奉仕していく、聖書にある「受けるよりは与えるほうが幸いである」というモラルのある人がどれだけその社会にいるか。このような人こそ、真の意味でエリートだと思います。

そして「既存のエリートの正統性がますます失われていく」というのは、こうしたエリートが築いてきた社会的、経済的な枠組みに対する疑いでもあると思います。

トッド氏は言います。

〈お金の流れをいくらグローバル化しても、いざという時に私たちの生活は守れないことははっきりしました。長期的に見ると、こうした経験が、社会に歴然として存在する不平等を是正しようという方向につながる可能性はあります。これまで効率的で正しいとされてきた新自由主義的な経済政策が、人間の生命は守らないし、いざとなれば結局その経済自体をストップすることでしか対応できないことが明らかになったのですから〉（同前）

トッド氏の未来予測

もう一点は、人口学者のトッド氏らしい視点なのですが、興味深いというより、引っかかるものを感じたと言うほうが適切なのかもしれません。トッド氏は、新型コロナ禍が戦争だとは言えない理由を、自身の専門分野に立って展開しています。

〈私は人口学者ですから、まず数字で考えます。戦争やテロと今回の感染症を比較してみましょう。テロは、死者の数自体が問題ではありません。社会の根底的な価値を揺さぶることで衝撃を与えます。一方戦争は、死者数の多さ以上に、多くの若者が犠牲になることで社会の人口構成を変える。中長期的に大きな社会変動を引き起こします。今回のコロナはどちらでもありません〉（同前）

トッド氏は、新型コロナ禍は「すでに起きていること」を加速させるに過ぎないという立場で、新型コロナの影響を過大評価していませんから、テロが与えるほどに社会への衝撃は大きくないと考えるのは当然です。

気になるのは、後者の戦争による死者についての考察です。「多くの若者が犠牲になることで社会の人口構成を変える」と述べています。トッド氏は何が言いたいのでしょうか。続きを読んでみましょう。

〈かつてエイズウイルス（HIV）の感染が広がったとき、20年間で約4万人がなくなりました。しかも若い人の割合が大きかった。今回のコロナの犠牲者は高齢者に集中しています。社会構造を決定づける人口動態に新しい変化をもたらすものではありません〉（同前）

人口動態とは、一定期間の出生や死亡など人口の変動のことで、普通は一年間の人口の動きをそういいます。ここでトッド氏が言いたいことは2つあると思います。

1つは、そもそも高齢者は感染症が起きなくても、若者に比べて亡くなる確率が高いという点です。「今回のコロナの犠牲者は高齢者に集中しています」と述べているように、高齢者のほうが若者よりも死にやすいという「すでに起きていた変化」が加速するということになります。だから多数の高齢者が命を落としても社会構造が変わるほどの人口動態の動きは起こらない、と言いたいのだと思います。

では次に、本来、高齢者よりも死ぬ確率が低い若者が多く亡くなったら、社会はどうなるかを考えてみましょう。この世代は生産年齢人口として数えられます。つまり富を産み出す労働力の中心です。同時に、次世代を再生産する能力がある世代でもあります。若者が多く亡くなるということは、労働力と次世代の再生産力が失われるということです。

こちらは明らかに「社会構造を決定づける人口動態に新しい変化」をもたらします。

わかりやすく単純化します。閉じられた３００人の集団があり、人口構成は高齢者が１００人、生産年齢にあたる若者が１００人、子どもが１００人とします。高齢者が１００人死ぬ場合と、若者が１００人死ぬ場合とでは、同じ１００人でも意味が違うのです。高齢者が疫病で１００人死んでも、すでに生産年齢でもありませんし、次世代を再生産する能力もありません。人口が２００人に減っても集団は存続可能です。

ところが、若者が疫病で１００人死んだ場合はどうでしょう。仮に若者の男女比は、男性50人、女性50人だとして、すべてパートナーになり、１カップルあたり２人の子どもをもうければ、１００人を再生産できることになります。その１００人が死ぬと、労働による生産能力も次世代の再生産能力も失われ、集団の存続が危うくなってしまうのです。

「今回のコロナの犠牲者は高齢者に集中しています。社会構造を決定づける人口動態に新しい変化をもたらすものではありません」という言葉の奥には、世代による命の価値の違いがあることが示唆されていると思います。

スウェーデンでは新型コロナに対して、放置して集団免疫をつける方策をとりました。

しかし、感染は拡大し続け、破綻しました。死者の90％は70歳以上の高齢者です。

〈保健当局によると、集中治療室に運んだ患者のうち七十歳以上は約22％、八十歳以上は3・5％のみ。医療崩壊を防ぎたい政府は「高齢患者をむやみに病院に連れて行かない」とのガイドラインを現場に通達していたのだ〉（東京新聞、6月21日）

医療の現場では、傷病者の重症度に応じて治療の優先順位が決められます。これをトリアージといいます。スウェーデンのガイドラインは純粋にトリアージとは言い難い部分があります。非常時において、将来、経済面、次世代の再生産という面で貢献する可能性が低い人間を選別しようとする意思が働いているのではないでしょうか。

それは人口動態から、新型コロナ禍が戦争だとは言えないことを語るトッド氏の言説に感じた危うさにも通じていると思いました。

第2章　食事の仕方に口を出す異様さ

なんの権利があって食事にまで口出しするのか

丸いケーキはプラハ風のチョコレートケーキ。四角いケーキはメレンゲの白いケーキ。丸くて白いケーキは存在しない。旧ソ連ではケーキのレシピを政府が管理していて、この2種類のケーキ以外、作って売ることが許されていませんでした。

ソ連時代の統治の特徴はいくつか挙げられますが、その1つに官僚主義があります。ケーキのレシピが2種類に限定されていた詳しい事情はわかりませんが、旧ソ連では物の値段はすべて政府が決めていました。たとえば、四角いチョコレートケーキや半分がチョコレートで半分がメレンゲの丸いケーキや四角いケーキなど、バリエーションを増やすことを許したらきりがない。値付けがややこしくなる。官僚特有の合理性でケーキは2種類と決めたのかもしれません。

しかし、いまの私たちは、旧ソ連の〝ケーキ規制〟を笑えません。厚生労働省が公表した次の文章を読んでみましょう。

〈大皿は避けて、料理は個々に

対面ではなく横並びで座ろう
料理に集中、おしゃべりは控えめに〉

これは、『「新しい生活様式」の実践例』の中の食事の項目に書いてあることですが、なんの権利があって、人の食事にまで口出しする権利があるのでしょうか。目にした人も多いでしょうが、厚生労働省のホームページにアップされている『「新しい生活様式」の実践例』では日常生活のシーン別に、あれこれおすすめの生活スタイルが記されています。

そこには前振りがつけられていました。

〈〇新型コロナウイルス感染症専門家会議からの提言（5月4日）を踏まえ、新型コロナウイルスを想定した「新しい生活様式」を具体的にイメージいただけるよう、今後、日常生活の中で取り入れていただきたい実践例をお示しします。

〇以下の例を参考に、ご自身や、周りの方、そして地域を感染拡大から守るため、それぞれの日常生活において、ご自身の生活に合った「新しい生活様式」を実践していただければ幸いです〉

「上から目線」に敏感な昨今の風潮を意識しているのか、ずいぶんへりくだった文体です。この前振り文で着目すべきは、どこだと思いますか。

私は「新型コロナウイルス感染症専門家会議からの提言（5月4日）を踏まえ」という一文に目を留めました。新しい生活様式についての提言だけではありません。新型コロナの感染が広がりはじめた頃から、専門家会議が国民の行動にあれこれモノを言い始めました。その根拠はどこにあるのか、私は折に触れて疑義を唱えていました。

6月24日、西村康稔経済再生相が突然、廃止を発表した専門家会議とはそもそも、どのような位置づけの会議だったのでしょうか。

まず、1月30日、中国で新型コロナの爆発的感染を受け、安倍首相を本部長とする「新型コロナウイルス感染症対策本部」の設置が閣議決定されました。

そして2月14日、「新型コロナウイルス感染症対策本部の下、新型コロナウイルス感染症の対策について医学的な見地から助言等を行うため、新型コロナウイルス感染症対策専門家会議（以下「専門家会議」という。）を開催する」ことが決定しました。これが専門家会議の開催根拠です。決定の主体は新型コロナウイルス感染症対策本部です。対策本部のメンバーが内閣閣僚と重なっているとはいえ、閣議決定によるものではありません。

もともとこの専門家会議は厚生労働省の新型コロナウイルス感染症対策推進本部のアドバイザリーボード（外部の専門家による諮問委員会的なもの）だったものを横滑りさせて改組したものです。会議は座長の脇田隆字《たかじ》氏をはじめ、感染症の専門家を中心に構成されました。

2月25日、厚生労働省内にはクラスター対策班が設置されました。こちらには、「8割おじさん」で有名になった西浦博北海道大学教授がアドバイザーとして参加しています。

こうした政府に助言する立場の専門家たちが会見の場でも発言し、新型コロナ禍における、国民の行動に方向づけをしていったというのが実態と思います。

緊急事態宣言の全面解除から約1カ月後、朝日新聞が専門家会議座長の脇田氏と副座長の尾身茂氏にインタビューし、専門家会議の役割について尋ねています。

まず脇田氏から。

〈――専門家が行動変容を呼びかけるなど、「踏み込み過ぎ」と批判もあった。

本来の役割はリスクを分析し、政府に提言するまで。政府が政策を決めてコミュニケーションする。今回、専門家会議はかなり踏み込んだ。責任が取れるのか懸念はあったが、そうしないと対策が進まないという危機感があった。ただ、総括は必要です。専門家会議の立ち位置を考え直すべきだと思っています〉（朝日新聞デジタル、6月24日）

次に尾身氏です。

〈――本来の役割以上のことをしたという意識がありましたか？

我々の役割は、医学的な助言を政府にすることとわかっていました。でも聞かれたこと、議論してほしいと求められたこと以外に、言わねばならないことがどんどん出てきた。緊急時で時間がない。資料を集め、メンバーで夜な夜な議論をして案を出すようになった。前のめりだとか、専門家会議の役割としては逸脱するかもしれないという意識はあったが、我々が発言しなければ、専門家としての責任が果たせないとの思いで、がむしゃらだった。ここまで対策が難しいウイルスでなければ、こんなことはしなかったでしょう〉（同前）

両人とも非常時だったから止むを得ず……という意識があったようです。

2人の話を読んでいると、専門家会議と政府との関係は、国家の中の国家、大きい人形の中に小さな人形が入っている、入れ子構造のマトリョーシカのような感じがします。専門家会議への批判があった一方で、なぜ、国民は求められたとおりの自粛をしたのでしょうか。その疑問を解く鍵はマトリョーシカ人形という構造にありそうです。

マトリョーシカ人形の大きい人形のほうが、専門家会議の設置を決めた首相以下、閣僚もメンバーになっている感染症対策本部や感染症対策を担当する厚生労働省です。この大きなマトリョーシカ人形とは、どのような性格のものでしょうか。

首相をはじめ国務大臣の職に就いている政治家や中央省府、そこで働く官僚をざっくりまとめていえば、政府です。教科書的に言えば、政府とは、内閣と中央官庁（行政機関）の総称です。社会科のおさらいになりますが、国を統治する権力には、立法・行政・司法の三権があります。立法は国会、行政は内閣、司法は裁判所と役割が分かれます。

つまり、政府は行政とほぼ重なると考えていいのです。ここで述べている大きなマトリョーシカ人形とは行政のことです。

理由は後で説明しますが、非常時においては行政権が強くなる傾向があります。

「今回、専門家会議はかなり踏み込んだ。責任が取れるのか懸念はあったが、そうしないと対策が進まないという危機感があった」（脇田座長）

「我々が発言しなければ、専門家としての責任が果たせないとの思いで、がむしゃらだった。ここまで対策が難しいウイルスでなければ、こんなことはしなかったでしょう」（尾身副座長）

行政という大きいマトリョーシカ人形が強くなった分、その中に入っている専門家委員会という小さなマトリョーシカ人形も強くなったという図式が描けます。

官僚でも政治家でもない両人の踏み込んだ発言が許容された背景には、このような関係があるのではないかと思います。

同時に、行政という大きなマトリョーシカ人形は非常時に強くはなったけれども、決断力や実行力には欠けていたようです。専門家会議が6月24日に公表した提言には「専門家組織は本来、現状を分析、その評価をもとに政府に提言する役割を担う。政府は提言の採否を決め、政策実行に責任を負うべきだ」という一文がありました。裏返せば、政府がだらしないから専門家会議が前のめりの発言をせざるを得なかったということになります。

新型コロナ禍において専門家会議を内包した行政権の強さが「新しい生活様式」に結実

し、法的根拠もなく食事のときに「横並びで座ろう」「料理に集中」と食べ方にまで口を出すことに集約されています。ソ連時代の官僚統制の極致ともいえる2種類のケーキを笑えないと言った理由をわかってもらえたでしょうか。

封鎖された都市

なぜ、非常時に行政権が強くなるのか、納得いかない人もいるでしょう。その理由をこれから述べていきます。まず、次の文章を読んでください。非常時における行政権の行使のされ方が最も単純な形でわかります。

〈この瞬間から、ペストはわれわれすべての者の事件となったということができる。それまでのところは、これらの奇怪な出来事によって醸《かも》された驚きと不安にもかかわらず、市民各自はふだんの場所で、ともかく曲りなりにもめいめいの業務を続けていた。そしておそらく、この状態は続くはずであった。しかし、ひとたび市の門が閉鎖されてしまうと、自分たち全部が、かくいう筆者自身までも、すべて同じ袋の鼠《ねずみ》であり、そのなかでなんとかやっていかねばならぬことに、一同気がついたのである〉

これは、フランスの作家・アルベール・カミュ（1913～1960）が1947年に発表した小説『ペスト』（宮崎嶺雄訳、新潮文庫）の一節です。物語の終盤になるまで正体が明かされない「筆者」が、ペストの感染拡大によって封鎖されたアルジェリアの都市・オランの人々の〝日常〟を淡々とした筆致で描いた作品です。

「この瞬間」というのは、ペストの感染が拡大した県の知事が「ペストチクタルコトヲセンゲンシ　シヲヘイサセヨ」（ペスト地区たることを宣言し　市を閉鎖せよ）という電報を受け取ったときを指します。

市の門が閉鎖されたというのは、まさに世界各地で起きた都市封鎖（ロックダウン）に通じるものがあります。この物語では、都市封鎖はどのような手続きを経て発令されたと書かれているのでしょうか。

いつもは見かけないところで散見されはじめた鼠の死骸。やがて始まるペストの蔓延。最初はその事実から目を背けようとしていた行政の幹部。作品の主人公の一人、医師のベルナール・リウーはすでにペスト感染の広がりが危機的な状況にあることを知事に訴えます。

〈リウーは思い切って知事に電話をかけた――

「いまの措置では不十分です」

「私の手もとにも数字が来てますがね」と、知事はいった。「実際憂慮すべき数字です」

「憂慮どころじゃありません。もう明瞭ですよ」〉（『ペスト』）

リウーの警告に対し、知事は「総督府の命令を仰ぐことにしましょう」と言い、上位機関に判断の責任を投げました。

そこから先の記述は、リウーが総督府に提出するための報告書の作成を依頼されたこと。春の訪れとふだんと変わらない人々の暮らしが描かれ、時間の経過が曖昧なまま、ある日、死者数が突如として増え、唐突に、総督府からの市の封鎖を命じる電報が登場します。

〈死亡者の数が再び三十台に達した日、ベルナール・リウーは、「すっかりおびえちまったんだね」といいながら知事が差し出した、公電をながめていた。電文にはこうしるされていた――「ペストチクタルコトヲセンゲンシ　シヲヘイサセヨ」〉（同前）

このやや乱暴とも思える筆の運びはどういうことでしょうか。

「総督府」という言葉から推測できると思いますが、この作品の舞台はフランス本国ではありません。フランス植民地のアルジェリア・オランで起きたこととして描かれています。オランは地中海に面した〈フランスの一県庁所在地以上の何ものでもない〉都市です。カミュは、オランに暮らす人々を一貫して丹念に描いています。オランに対する封鎖命令の過程を、市民の日常描写と対極的に表現することで、植民地総督府が発した紙切れ一枚でオランが封鎖されたということが強調され、支配・被支配の関係がいかなるものかを読者に印象づける役割を果たしていると思います。

これこそ、非常時における行政権の姿が見えやすい行使の仕方だといえます。一方的な行政権の行使は、個々人に対する国家の眼差しの本質も垣間見せてくれるようです。

安倍首相の唐突な休校要請や休業要請、外出自粛要請とそれに対する国民の反応、あるいは緊急事態宣言に至るまでの手続きや個人や企業に対する支援・補償のあり方などについて考えさせてくれる作品です。

刷り込まれたメッセージ

では改めて、非常事態においては行政権が優位になる理由を説明します。行政権は内閣に属しています。行政権について簡単に説明するならば〝立法と司法以外の国家作用〟といわれることもあるように、国会で成立した予算と法律に基づき、各省庁を通じて国民の日常生活、企業・団体などの活動に広範な影響を及ぼすことができる権力です。

迅速な決断や政策遂行が求められる非常事態において、国民や企業の私的領域に行政権が迫り出してくるのは、自然の成り行きです。新型コロナ特措法によって緊急事態宣言を出し、外出自粛を要請したり、感染拡大の恐れがある業種に休業要請をするのがまさにそれです。

その行政府の長が内閣総理大臣です。内閣総理大臣（首相）は選挙で選出された国会議員の中から、国会で選ばれるわけですから、アメリカの大統領ほどではないにせよ、王様的な要素があります。とくに安倍首相は長い任期の中で「私が〜」と物事が首相個人に集約するかのような表現を多用してきました。国民にも無意識のうちに「私が〜」に込められたメッセージが刷り込まれているはずです。

だから、今回のような事態においては行政権が安倍首相という人格に体現されやすくなりますし、同時に安倍首相の言動が日本国家の認識だと外国から解釈されることになるのです。行政権が国家のリーダーに属人的に現れている場合、非常時にうまく使えばプラスに作用しますし、使いこなせなければマイナスに作用する諸刃の剣でもあります。

非常時において強くなった行政権をうまく使い、国民が必要としていることを満たせれば、第1章で紹介したエマニュエル・トッド氏が言うように政治エリートに対する信頼は高くなるでしょう。

しかし、これから述べるのはコロナ禍のどさくさに紛れ、行政権の拡張を図ろうとしたけれども、かえって支持率が下がってしまった安倍政権の例です。

序章でも紹介した通り、「#検察庁法改正案に抗議します」。5月上旬、こんなハッシュタグのついたツイートが広がり、5月11日には、投稿数が約680万になったと伝えられました（朝日新聞デジタル）。

ネットを中心に反対の声がどんどん膨らんでも、当初、政府は検察庁法改正案を成立させるつもりでいました。しかし、世論調査で内閣支持率が急落しました。5月18日、「国民のみなさまのご理解なくして、前に進めていくことはできないと考える」として、安倍首相は検察庁法改正案の成立を先送りすることを表明しました。さらに、同月20日、週刊文春オンラインが黒川弘務東京高検検事長が新聞記者たちと賭けマージャンをしていたと報じました。黒川氏は21日に辞意を表明し、22日の閣議で辞職が承認されました。

この騒動で笑ったのは誰でしょうか。SNSで抗議の声を上げた人々でしょうか。その抗議の声に乗った野党でしょうか。

検察庁法改正案をめぐる一連の動きも、行政権の肥大化という補助線を引いてみると、ツイッターデモによる民意が政権に勝ったという話とは、別の構図がみえてくるように思います。

まず、検察の成り立ちを簡単に押さえておきましょう。現在の検察制度の基本ができたのは、大日本帝国憲法下の1890（明治23）年、旧々刑事訴訟法で検事局が裁判所に付属する形で置かれたことが起点になります。たとえば、今回の検察庁法改正案の報道でよく目にするようになった検事総長という役職は、現在の最高裁判所に当たる大審院検事局に置かれました。

大日本帝国憲法でも立法、行政、司法の三権分立が定められていて、それら三権は統治権の総攬者である天皇に帰していました。司法権は、天皇の名において、法律に基づき裁判所が行使していたわけです。当然、裁判所に属する検察官も「天皇の官吏」として職務を遂行していました。

戦後、大日本帝国憲法における三権分立が不徹底だったこと、あるいは治安維持法下で、いわゆる思想検事が人権弾圧を行ったことなどから、検事局は裁判所から分離され、検察庁法によって法務省の特別機関となりました。つまり、戦前、司法に属していた検事局は、戦後、検察庁として「行政」機関になったのです。検察官の身分は一般職の国家公務員です。

ややこしいのは、財務省や経産省などの国家公務員の身分や服務規定については国家公務員法に定められ、検察官のそれは検察庁法に定められていることです。このふたつの法律には違いがあります。国家公務員法は一般法、検察庁法は特別法なのです。法律の原理上、「特別法は一般法に優先」します。

今回の検察庁法改正をめぐる騒動の発端になったのが、２０２０年1月31日の東京高検検事長の黒川弘務氏の定年を延長する閣議決定でした。検察庁法と国家公務員法の「ねじれ」が問題視されたのです。

〈政府は31日、２月７日で定年退官する予定だった東京高検検事長の黒川弘務氏（62）

について、半年後の8月7日まで続投させる人事を閣議決定した。検事長が検察官の定年（63歳）を超えて勤務を続けるのは初めて。稲田伸夫検事総長（63）の後任に充てる可能性が出てきた。発令は2月7日付。（中略）

国家公務員法では、職務の特殊性や特別の事情から、退職により公務に支障がある場合、1年未満なら引き続き勤務させることができると定めている。今回の措置はこれを適用した。

森雅子法相は31日午前の閣議後の会見で、黒川氏について「検察庁の業務遂行上の必要性に基づき、引き続き勤務させることを決定した」と述べた〉（朝日新聞デジタル、1月31日）

検察庁法で定年についての条文を確認しておきましょう。

〈第二十二条　検事総長は、年齢が六十五年に達した時に、その他の検察官は年齢が六十三年に達した時に退官する〉

このようにあるだけで、国家公務員法の定年延長規定（同法八十一条の三）のような条文はありません。

2月10日の衆院予算委員会では立憲民主党（当時）の山尾志桜里氏が、1981年に衆院内閣委員会で審議された定年や定年延長などを導入する国家公務員法改正についての政府答弁の議事録を紹介しました。

〈議事録によると、当時から定年制があった検察官や大学教員にも適用されるか問われた人事院任用局長（当時）が、「今回の法案では、別に法律で定められている者を除くことになっている。定年制は適用されない」と答弁していた〉（同前、2月10日）

つまり検察官には定年延長も適用されないということなのですが、安倍首相は2月13日の衆院本会議で、81年の政府解釈の存在を認めたうえで、安倍内閣として解釈を変更したと述べました。

〈定年延長を含む定年制を盛り込んだ国家公務員法改正案を審議した1981年の国会

での政府答弁と、東京高検の黒川弘務検事長の定年延長の整合性について認識を問われ、首相は「当時、（検察官の定年を定めた）検察庁法により除外されると理解していたと承知している」と認めた。

一方で、「検察官も国家公務員で、今般、検察庁法に定められた特例以外には国家公務員法が適用される関係にあり、検察官の勤務（定年）延長に国家公務員法の規定が適用されると解釈することとした」と述べた〉（同前、2月13日）

その後、人事院給与局長が、いったんは81年の国家公務員法の定年延長規定が検察官に適用されないという解釈を現在まで続けているとした答弁を、19日の衆院予算委員会で撤回するなど、解釈変更の正当性に綻びが生じてきました。

3月13日、政府は国家公務員の定年を段階的に65歳に引き上げる国家公務員法改正案と検察官の定年を引き上げる検察庁法改正案を国会に提出しました。

検察庁法改正案の内容は、検察官の定年を現在の63歳から65歳に引き上げる。次長検事、検事長など役職についている幹部検察官は63歳になったら役職から外れる「役職定年制」を設ける。さらに特例として、内閣や法務大臣が必要と認めた場合、最大3年までそのポストに留まれる、としました。

そもそも「無理筋」だった黒川氏の定年延長の閣議決定を、後追いの法改正で正当化しようとする安倍政権の姿勢が小狡く、あるいは数の力頼みの「なんでもあり」と、多くの国民の目に映り、5月上旬から爆発的に広がった「#検察庁法改正案に抗議します」に結びついていったのでしょう。

検察庁という組織

次に検察という組織や検察官の仕事の性質について述べます。検察官は、国家を代表して刑事事件について裁判所に対し審判を申し立てる権利を持っています。また、検察官は事件の性質や情状を考慮して被疑者を訴追しないこともできます。こうした権限を公訴権といいます。公訴権は検察官がほぼ独占しています(起訴便宜主義)。

なぜ「ほぼ」なのかというと、検察審査会制度があるからです。検察官がある事件を不起訴としたことのよしあしを、20歳以上の有権者の中からクジで選ばれた11人の審査員が審査します。審査会で3分の2以上の多数で起訴すべきだったと判断されたら、検察官は事件を再検討します。その結果、起訴されることもあれば、不起訴になることもあります。

不起訴となった場合、その判断について再び検察審査会が審査し、やはり起訴すべきだという結論に達した場合、起訴の手続きがとられるのです。つまり、検察審査会が2度、起訴相当との議決をすると必ず起訴されます。

公訴権のほかに、検察官にはどのような犯罪でも捜査する権限を与えられています。つまり、国民の身柄を拘束し、裁判にかけて罪に問う・問わない、を判断できるという非常に強力な権力を持っています。

検察庁は行政機関でありながら、司法の色彩が強い組織なのです。

先ほど、検察庁は法務省の特別機関だと述べたとおり、国家公務員法上は法務大臣が各検察官を指揮監督できることになっている一方で、検察庁法では検事総長がすべての検察庁職員を指揮監督すると定められています。また同法第十四条でも法務大臣は一般論として検察官を指揮監督できるとされていますが、個々の事件の取り調べや処分については検事総長だけを指揮できるとされています。検察庁法の条文からも一般法に対する特別法優先の原則からも、検察官に対する指揮監督の事実上の権限は検事総長にあります。検事総長だけが検察庁と外界、つまり内閣との窓口になっているような形です。検事総長が内閣の求めを嫌だと言えば、組織は動きません。教科書的な表現をすれば、検察の中立性・独立性を担保するため、政府が直接介入しづらい設計になっている、ともいえます。

ちなみに、法務・検察にあっては、一般的に官僚の頂点とされる事務次官よりも検事総長の地位のほうが高いとされています。

検察という組織が行政機関でありながら、必ずしも時の政権の思うままには動かない要因はこのような点に求められます。

制度上、政権が検察を従わせるには法務大臣による検事総長に対する指揮権発動しか手段がありません。1954年、造船疑獄が起きました。政府が出資する計画造船をめぐって起きた贈収賄事件で、東京地検特捜部は自由党の佐藤栄作幹事長（当時）の逮捕許諾請求を決定しました。しかし、吉田茂内閣の犬養健法務大臣は防衛庁設置法と自衛隊法という重要法案の審理中であることを理由に、検事総長に対し、逮捕中止・任意捜査への切り替えを命じる指揮権を発動しました。その直後、犬養法相は辞任、また、吉田茂内閣が倒れる発端にもなりました。指揮権を発動して検察を従わせたものの、政権が負った傷も深かったのです。その後、現在に至るまで指揮権は事実上、使えなくなっています。検察に対する人事権も同様に行使できなくなっています。

こうした検察という組織の性格を考えてみると、1月31日の閣議決定による幹部検察官の定年延長と検察庁法改正案は、細い線ながらも内閣が検察の人事に手を突っ込めるようにしようとした、とみることができます。これは非常に大きな意味を持つと思います。

その理由について述べます。

シナリオに沿う証言

1976年のロッキード事件で東京地検特捜部は元首相の田中角栄氏を逮捕しました。悪いことをすれば元首相だって逮捕する。いわゆる特捜神話ができあがりました。

2002年、私は鈴木宗男事件に連座して東京地検特捜部に逮捕され、512日間勾留されました。捕まった者にしかわからないと思いますが、とくに特捜事件での取り調べは、客観的な物的証拠に基づいたものではありません。検察官の論理では、取り調べの相手は知能犯だから物証なんか残していない。だから、私がやりましたという供述をとることが重要だということになります。あらかじめ事件の筋を組み立てておき、そのシナリオが成立するように証言をつなぎ合わせていく。私が長期勾留されたのは、検察官のシナリオに沿う供述をしなかったからです。

あるいは鈴木氏の秘書は、検事の質問に答えないでいると「思い出せないなら、思い出し方を教えてやろうか」と言われたといいます。また、鈴木事務所の会計担当の女性は、結果的に起訴されませんでしたが、逮捕されたとき、乳がんの手術後で放射線治療が必要だったにもかかわらず、逮捕、勾留され「認めないなら出さない」と言われました。これは「殺す」と言っているのと同じです。それを知った鈴木氏は何でもいいから認めて早く出るように言い、彼女はその言葉に従い釈放されました。しかし、がんが悪化して彼女は亡くなりました。当時鈴木氏は接見禁止でしたから、次に会えたのはその女性の葬式のときだったのです。検察は自らが信じる「正義」のためとあらば、このような行為を辞さない組織です。

２００６年には、東京地検特捜部は当時ライブドア社長だった堀江貴文氏を証券取引法違反容疑で逮捕しました。２０００年代初頭は、検察のやりたい放題のピークだったのではないかと思います。しかし、鈴木氏も堀江氏も私も社会的に復権できました。次第に検察の威信が低下していったのです。その流れで、検察の取り調べの実態が明らかになったのが、２００９年の障害者団体向け郵便割引制度悪用事件でした。当時、厚生労働省の局長だった村木厚子氏を大阪地検特捜部が逮捕・起訴しました。村木氏が障害者団体郵便料金割引制度を適用するため偽の証明書発行にかかわった。これが検察の見立てでした。このシナリオに合わせるため、主任検事がフロッピーディスクにあった証明書の日付を改ざんしたのです。村木氏は裁判で無罪とされました。逆に証拠改ざんにあたった検察官ら3人が最高検に逮捕されることになったのです。

また、2010年には小沢一郎民主党幹事長（当時）の資金管理団体・陸山会をめぐる政治資金規正法違反容疑で、東京地検特捜部は、事件当時、小沢氏の秘書だった石川知裕衆議院議員を逮捕しました。起訴され保釈された後、石川氏は検察に呼び出されました。石川氏は検事の事情聴取を録音しており、聴取にあたった検事による捜査報告書に自分が言ってもいないことが書いてあることを明らかにしました。担当した検察官は辞職することになったのです。

特捜神話は崩壊し、以降、メディアの検察報道が変わりました。特捜事件など検察が関わる報道で、それまではニュースソースを「関係筋によると」としていたのが、「検察関係者によると」「弁護側関係者によると」と、明らかにするようになったのです。あわせて思い出してほしいのですが、かつて検察はロッキード事件、リクルート事件、東京佐川急便事件など、定期的に大きな事件を手がけていました。しかし、長らく検察は政財界の大物を摘発するような事件を手がけていません。

検察報道の変化、検察が大きな事件を手がけていないことを裏返すと、検察がメディアにあることないことをリークして一定の世論をつくりだして事件化するという手法が使えなくなったということを意味しています。

安倍政権の思惑

ところが最近、またかつての手法が戻ってきたのではないかと感じています。同時期に検察は2つの事件を手がけました。2018年11月、日産自動車会長（当時）のカルロス・ゴーン氏の逮捕と2019年12月の秋元司衆議院議員の逮捕がそれです。

ゴーン氏の場合、プライベートジェットで羽田空港に到着したところを東京地検特捜部に逮捕されました。朝日新聞だけが動画を撮影し、「カルロス・ゴーン容疑者が乗っていたとみられる飛行機」とキャプションがつけられて電子版で配信されました。

IR（統合型リゾート）に関連する収賄容疑で逮捕された秋元氏の場合、逮捕前からメディアが、贈賄側とされる中国企業から金銭を受けとったかどうかを直撃取材したり、特捜部が議員会館へ家宅捜索に入るときに、報道各社のカメラが待ち構えていました。

これらは明らかに検察のリーク主導の手法です。事前に捜査情報が漏洩していなければありえない報道だと思います。捜査情報の漏洩を示唆する記述は『ゴーンショック』（朝日新聞取材班、幻冬舎）にも書かれています。

これらの事実から、検察が客観的証拠に基づかず、メディアへのリークをベースにして自分たちの思う方向で情勢をつくりだして事件化することを再び始めたとみることができます。つまり、2000年代初頭のやりたい放題の検察の姿へと変質しつつあるのです。

それを前提にすると、安倍政権は長期とはいえ、いずれ終わりがきます。すると終わったあとに、変質した検察に何をされるかわからないという感覚になるものです。いまのうちに検察幹部の人事に内閣が少しでも手を突っ込めるようルール化して、再び独立王国化しつつある検察を牽制したいというのが、今回の政権側の意図だと思います。

そのような思惑があったとしても、検察庁法改正の動きは、選挙で選ばれた国会議員で構成される内閣が検察を統制する、言い換えれば、民主的な統制という点で意味のあることだと思います。

こう言うと、検察の独立性や中立性が揺らぐと考える人がいるでしょう。しかし、検察が本当に厳正中立な機関だとは思えません。

ひとつ実例をあげます。2016年、沖縄で起きた事件です。同年10月、沖縄県東村《ひがしそん》高江《たかえ》の米軍北部訓練場内の有刺鉄線2本を切断したとして、沖縄平和運動センターの山城《やましろ》博治《ひろじ》議長が沖縄県警に逮捕されました。山城さんは米海兵隊辺野古《へのこ》移設反対運動のリーダーでもあり、当時がんに罹《かか》っていましたが、那覇地検は送検された山城さんを約5カ月間勾留しました。

山城さんのように前科もなく、有刺鉄線を切ったくらいだと、どう考えても起訴猶予が相場です。しかし検察は山城さんを起訴したのです。これはどういうことかというと、辺野古移設に反対する勢力に対しては徹底的に弾圧するという政治意思が働いていると思います。検察官は自分たちが考えるところの正義感で動いているように見えます。これは、2・26事件を起こした青年将校の憂国感情に近いメンタリティだと思います。

検察OBの露骨な人事介入

検察庁法改正案をめぐる動きでもうひとつ、見逃せないことがあります。5月15日、松尾邦弘元検事総長ほか検察OB38人が検察庁法改正に反対する意見書を法務省に提出しました。まず考えてもらいたいのですが、民間企業でもほかの役所でも、OBがかつての職場に乗り込んで人事について口出しするなんてあり得ますか？　あり得ません。露骨な人事介入になるからです。意見書の中に次のような一文がありました。

〈現在、検察には黒川氏でなければ対応できないというほどの事案が係属しているのかどうか。引き合いに出される（会社法違反などの罪で起訴された日産自動車前会長の）ゴーン被告逃亡事件についても黒川氏でなければ、言い換えれば後任の検事長では解決できないという特別な理由があるのであろうか。法律によって厳然と決められている役職定年を延長してまで検事長に留任させるべき法律上の要件に合致する理由は認め難い〉

（朝日新聞デジタル、5月15日）

仮に指摘のとおりだとしても、検察OBに何の資格があって、現職検察官が役職につくことの適格性を云々できるのでしょうか。

言論、表現の自由を認めた上でいいますが、今回の検察OBの行動は、公務員だった者が行ってはならない人事介入だと思います。

意見書には追記があり、意見書提出の経緯が書かれています。本来ならば多くの検察OBに呼びかけるべきだったが、事の緊急性と意見をとりまとめたOBの健康上の理由を述べた上で「やむなくごく少数の親しい先輩知友のみに呼びかけて起案したものであり、更に広く呼びかければ賛同者も多く参集し連名者も多岐に上るものと確実に予想されるので、残念の極みであるが、上記のような事情を了とせられ、意のあるところをなにとぞお酌み取り頂きたい」と結んでいます。

ごく少数のＯＢで意見をまとめたけれど、検察ＯＢならば、みんな賛同してくれるはずだよね。そんな身内意識が感じ取れます。その一方で、意見書を提出することそのものへの逡巡《しゅんじゅん》の有無は読み取れません。

検察官は退官後もヤメ検弁護士として活動したり、公証人になるなど、検察官ならではの利権ビジネスが回っていることは事実です。利権は引き継がれるからこそ利権です。追記の文体とヤメ検ビジネスを考え合わせれば、現役検察官とＯＢとのつながりは濃いもので、その構造は自律的で閉じた円環、わかりやすくいえば、部外者お断りの検察ファミリーのような姿がイメージできます。

吉村大阪府知事の発言

ここまでいくつかの項目に分けて述べたことを総合して考えてみましょう。検察庁法改正の動き、とくに検察幹部の定年延長とポストをめぐる動きを突き詰めれば、内閣と検察という性格の異なる権力の原理的な問題として捉えられます。つまり、行政が、準司法機関と見られている検察に対する支配権を拡張しようとしたといえます。

それをどう評価するかというと、繰り返しますが、内閣によって国家権力の執行組織である検察に対する民主的統制を強化するという意味で私は評価すべきだと思います。

検察庁法改正案について有識者がいろいろコメントしていますが、私が共感したのは弁護士出身の吉村洋文大阪府知事の発言です。

〈「検察庁法で人事権は内閣にあると決められている。なぜか？　検察組織は強大な国家権力を持っている。強大な国家権力を持つ人事権をだれが持つべきなのかを本質的に考えなければいけない。僕は選挙で選ばれた代表である国会議員で構成される政府が最終的な人事権を持つのが、むしろ健全だと思う。もし検察組織が独善になったとき、だれがそれを抑えるのか。だれも抑えられない。最終的には人事権を持っている人でないと抑えられない」〉（日刊スポーツ電子版、5月11日）

検察は暴走することがあります。法務大臣による指揮権発動は事実上できなくなっていますから、検察を牽制するのは人事しかありません。

さて、今回の騒動で笑ったのは誰でしょうか。検察庁法改正の見送りを実現させたリベラル派でしょうか。違います。検察が事実上、人事権を握り独立王国を続ける限り、検察の権力行使が自分たちに向かう可能性があることに気づいていない。なぜなら、リベラル派が重視する民主主義における正義と、国家の資格試験に合格した人間で構成される検察の正義は異なるからです。

安倍政権は、黒川氏の人事と検察庁法改正を切り離さなかったために、思惑通りに事を運べませんでした。政権が法案の成立を断念したことで自分たちの既得権が守られたと思った検察ファミリーも、黒川氏が賭けマージャンスキャンダルで辞任したことで、大きな打撃を被りました。内閣と検察の縄張り争いは、今回は誰も笑った者がいない、痛み分けで終わったというところでしょう。

しかし、行政の肥大傾向が続く限り、権力間の縄張り争いはまた起きると思います。

第3章　繰り返されるニューノーマル
～歴史で見る悲劇と全体主義

対米戦を前提にした「新しい生活様式」

「生活全面に亘《わた》る単純化」——いまならシンプルな暮らしのすすめとして読み替えることができますが、これは1941（昭和16）年9月1日の「興亜奉公日」に3つ掲げられた標語のうちの1つです。戦時中の政府プロパガンダ機関、情報局刊行の「週報」（昭和16年8月27日号）に掲載された標語の説明を読んでみましょう。

〈私達はいま、日常の生活を通じて戦ってをります。戦ひは、国民の生活力と生活力の戦ひとなったのです。「生活即戦争」の現在、私達はこれしきの生活物資の不足に、不平や不満があってはなりません。苦しければ苦しいやうに、生活全面を単純化して、苦しい中から余剰を見出すことです。考へてみますと、和洋二重生活はもとより、日常の食事にしても、器具にしても、儀礼用品にしても、その他まだまだ無駄が省けるものが沢山あるでせう〉

「週報」には、日常の食事、器具、儀礼用品に関連して、具体的に「必要以上の食べ過ぎはもとより、これまで顧みられなかった野菜の葉、三つ葉の根、小魚の骨が活用され」とか「例へば鉄瓶、火鉢、毛皮、モーニングなどは無くても済まされるものです」とか、「生活全面に亘る単純化」を実践するためのヒントも示されています。

日本がハワイ・真珠湾を奇襲し、米英などに宣戦布告したのは、この年の12月8日のことでした。

政府が国民に求めた「生活全面に亘る単純化」は、対米戦争を前提にした「新しい生活様式」あるいは「ニューノーマル（新しい日常）」だったのです。背景に、戦争に伴う政府による国民生活への統制がなければ、現在のライフスタイル誌やネットの記事で、素敵な節約法、食材を余さず活用する方法、ミニマムな暮らし方など、むしろポジティブに捉えられそうな生活提案です。

この章では、コロナ時代の「新たな日常」（マスメディアでは「新しい日常」という表現も用いられます）について考えていきたいと思います。

安倍首相は緊急事態宣言の解除を発表した2度の記者会見で「新たな日常」という言葉を繰り返しました。「コロナの時代の新たな日常を取り戻していく」「新たな日常を共につくり上げていきたい」「新たな日常をつくり上げるという極めて困難なチャレンジ」(5月14日会見)。「目指すは、新たな日常をつくり上げること」「コロナの時代の新たな日常、その的に向かって、これまでになく強力な3本の矢を放ち」(5月24日会見)などです。「新たな日常」が指し示す範囲はとても広いと思います。産業、教育、医療、介護、個人の生活、公共部門——在宅勤務、電子マネーの奨励から手洗い、検温まで、あらゆる分野に「新たな日常」が訪れることになります。

もちろん、新型コロナに感染しない、あるいは人に感染させないため一定の指針に従うことは大切です。しかし、「新たな日常」という言葉のもとに、私たち一人ひとりの思想信条、生活や仕事がひとしく回収されてもいいものでしょうか。

卑近なところでは、第2章でみた、食事は横並びでせよ、あまりおしゃべりするな(言い換えれば、黙って食え)、大皿で取り分けるな、このようなことまで政府に「おすすめ」される筋合いはないと思います。家で食べるのか、外食するのか、どんなお店での食事なのかなど、状況によって判断すればいいことだと思うのですが。

政府だけでなくメディアも盛んに話題にする「新しい生活様式」「ニューノーマル」を、一度相対化してみる、つまり引いた目で見てみることも必要だと思います。

大政翼賛下のスローガン

対米戦争開戦前のニューノーマルについて話を続けます。ここで紹介した「週報」の刊行と同じ8月、劇作家の岸田國士《くにお》はラジオで日常生活を単純化する意義を説きました。

〈われわれは先づ何をおいてもわれわれの生活を戦時体制におき換へなければなりません。

それはたゞ、物資の節約といふやうなことだけではありません。生活をきりつめるのも、生活に力を与へることでなければならないのであります。それがためには、一軒一軒がたゞ物を買はないやうにするといふやうな消極的な方法ではもはや追つつきません。

消費の規整は、生活の単純化から始り、生活単純化の最も有効な手段として、生活の協同化が考へられ、生活協同化は、消費の面から生産の面に伸び、更に、相互扶助、隣保親善の精神を養ひ、生活の明朗化にまで発展しなければなりません。

生活の単純化は、これも亦、生活を貧しく、殺風景にすることではありません。因襲と見栄に囚れた生活ぐらゐ、無用に複雑で、精力と物とを空費させるものはありません。

生活の単純化は、すなはち、心をゆたかにし、人間にほんたうの品位を与へる、簡素の美しさを創り出すことであります〉（「生活の黎明」岸田國士）

岸田國士は１９４０年から42年まで、大政翼賛会の文化部長を務めました。「生活の黎明」は大政翼賛会時代のものになります。

「われわれは先づ何をおいてもわれわれの生活を戦時体制におき換へなければなりません」と、ニューノーマルへの切り替えを国民に訴えています。さらなる戦争が始まり、これから確実に訪れる耐乏生活を、「ほんたうの品位」「簡素の美しさ」へと〝昇華〟させる筆の運びは、さすが一流の劇作家です。

この文章も戦時体制への馴致《じゅんち》という目的を無視すれば、「簡素な暮らしが生む美しさを先人の精神に学ぶ」的な切り口で紹介しても通用すると思います。

大政翼賛会は１９４０（昭和15）年10月、第二次近衛文麿内閣によって設立されました。日中戦争が長引き、アメリカとの関係も悪化する状況で、政治的・経済的な危機、国民の不満を打破し、総力戦体制の構築に向け、近衛内閣は「新体制運動」を起こしました。その運動を推進するために国民各層が参加する団体として誕生したのが大政翼賛会だったのです。会の規模こそ大きいものでしたが、軍部、財界、官界それぞれに思惑が異なり、東条英機内閣のもとで、国民の統制、権力の応援団的な組織になりました。大政翼賛会の傘下には産業報国会、商業報国会、大日本青少年団、大日本婦人会などが入りました。さらに、大政翼賛会は町内会などに世話役を、隣組に世話人を置き、食料など必需品の配給は町内会などを通じて行われましたから、国民も否応なく大政翼賛会に組み込まれることになったのです。こうして戦争遂行のための翼賛体制が築かれました。

この翼賛体制下で「欲しがりません勝つまでは」「足らぬ足らぬは工夫が足らぬ」などの標語が生まれたのです。しかし、スローガンや権力による締めつけだけでは国民は統制できません。国民に「生活即戦争」の意識を植え付けるために大切なのは、国家が生活の細部にわたり新しい価値観を行き渡らせることだったと思います。それが、鍋釜の要不要を問い、大根や蕪の葉の利用を促すことで、それは決して貧乏くさいことではなく、精神的に豊かなことなのだと。この段階では、はっきりそれとわかるような政治臭は抜けていますが、日常生活のあらゆる行為が「新しい日常」にふさわしいか、ふさわしくないかを、国民が自問するようになれば、それは政治性が浸透したのと同じこと。政府からしてみれば、しめたものというわけです。

コロナ禍の状況で、厚生労働省が発表した「新しい生活様式」は、政府が日常生活のさまざまな場面に口出しをしているけれど、それは新型コロナの感染を広げないという目的があるからで、戦争遂行のための生活様式とは同列に比べられないのではないか――このような疑問を持つ人もいるでしょう。

この文脈で重要なのは、新型コロナウイルス対策を進める過程で、ここで述べた翼賛の思想がよみがえっていることです。コロナウイルスによる感染拡大を防ぐためには、人々が移動を差し控えることが効果的であるというのが公衆衛生専門家の共通見解です。4月7日に日本政府は、新型コロナウイルス対策のために緊急事態宣言を発表しました。

イタリア、フランス、ロシアなどは、感染拡大を防ぐために移動の規制を法律や条例で定めています。一方、日本では国も都道府県も法律や条例によって、国民の行動を規制することを避けました。確かに憲法第22条では、「何人も、公共の福祉に反しない限り、居住、移転及び職業選択の自由を有する」と定められています。「何人」ということは、日本国民だけでなく、外国人、無国籍者も含まれるということになります。移動（移転）の自由はあらゆる人が本来的に持つ基本的人権の1つです。

それを制限する唯一の例外が公共の福祉に関連する場合です。新型コロナウイルスに感染した疑いのある人を一定期間隔離する、特定の国からの入国を規制するなどは公共の福祉によって正当化されます。

「自粛警察」という翼賛の手法

法律や条例によって、新型コロナウイルス対策として、人の移動を規制することも理論的には可能なはずなのです。しかし、国も都道府県もそれをしませんでした。その理由は2つあると考えています。

第1は、そのような法律や条例が憲法違反であるという訴訟を起こされた場合、裁判所によって違憲という判断がなされる可能性が排除されないからです。裁判所で合憲になる見通しが高いとしても訴訟が起こされれば、それに対応するエネルギーが厖大《ぼうだい》になります。行政官はこの種の仕事を嫌います。

第2は法律や条例が存在しなくても、国や都道府県が自粛を呼びかければ、法律や条例に相当する効果がこの国では期待できるからです。行政府が国民の同調圧力を利用するというわけです。行政手続きも何も必要ありません。

これこそが、翼賛の思想なのです。翼賛の本来の意味は、〈力を添えて助けること。天子の政治を補佐すること〉（『デジタル大辞泉』小学館）とあります。翼賛は強制ではないという建前です。翼賛という力は、人々が自発的に天子（皇帝や天皇）を支持し、行動するように作用します。みんなと同じ行動をしない者は「非国民」として社会から排除されることになるのです。

新型コロナウイルス対策の過程で、無意識のうちに翼賛という手法が強まっていると感じました。たとえば「自粛警察」がそれです。誰からも頼まれていないし、権限もないのに、自分の正義感から、新型コロナの感染を拡大させそうな人や店を攻撃する人々。公園で遊んでいる子どもたちを怒鳴る人々。咳《せき》をしただけで激昂する人々。県外ナンバー狩りをする人々。あるいは感染者ゼロの岩手県の達増拓也知事がコロナに感染した「第1号になっても県はその人を責めません」（朝日新聞デジタル、5月15日）と会見で言ったことの裏を返せば、岩手県で最初に感染した人は、プライバシーを晒され、激しく非難される危険性があり得ると考えたからでしょう。

こうした自粛警察は、大政翼賛会の末端組織である隣組のようなものです。隣組は互助組織であると同時に、お互いを牽制・監視する機能も果たしていました。

確かに行政府による自粛要請は必要です。しかし、その過程で無意識のうちに行政府が司法と立法府に対して優位になる可能性があることは第1章で述べたとおりです。それは国家による国民の監視と統制の強化に直結します。戦時中、国民を統制した大政翼賛会を主導していたのは、警察・治安維持を担当した内務省だったのですから。

5月25日に緊急事態宣言は全面解除されました。しかし、行政権の優位、自粛警察に見られるような翼賛の傾向は今後も続くでしょう。ニューノーマル以降、自粛警察の派生形ともいえる、マスクをつけていない人に強く着用を迫る「マスク警察」も登場しています。

オーウェル『動物農場』の七戒

こうした自粛警察と肥大化する行政権の関係は、ジョージ・オーウェルの小説『動物農場』で説明できます。

イギリスの「荘園農場」の家畜たちは、自分たちをこき使い、搾《しぼ》り取れるだけ搾り取る農場主を追い出します。家畜たちは「動物農場」と名前を変え、七戒を掲げて民主的な農場を運営しはじめましたが、やがて、異論を許さない全体主義的な運営へと変わっていくという、示唆に富んだ小説です。

七戒を紹介します。

〈一、いやしくも二本の脚で歩くものは、すべて敵である。
二、いやしくも四本の脚で歩くものもしくは翼をもっているものは、すべて味方である。
三、およそ動物たるものは、衣服を身につけないこと。
四、およそ動物たるものは、ベッドで眠らないこと。
五、およそ動物たるものは、酒をのまないこと。
六、およそ動物たるものは、他の動物を殺害しないこと。
七、すべての動物は平等である。〉（『動物農場』高畠文夫訳、角川文庫）

この作品では、家畜の中でも豚が最も知恵ある者として描かれています。豚はリーダーシップがあると同時に、人間の知恵を授けられ狡知《こうち》にも長けていました。いつの間にか豚は人間のベッドで寝るようになっていました。七戒のうちの第四戒、「およそ動物たるものは、ベッドで眠らないこと」に反しています。豚が人間のベッドで寝ていることを知った馬がおかしいと思って、七戒を確かめてみると、「およそ動物たるものは、シーツをかけたベッドで眠らないこと」と書き換えてあったのです。豚が寝ているベッドにはシーツはかけられていませんでした。

そしてある日、豚は二本脚で歩くようになりました。驚く動物たちを前に、豚は羊たちに「四本脚はよい、二本脚はもっとよい！」と連呼させます。七戒はたった一つの戒律、「すべての動物は平等である。しかし、ある動物は、ほかのものよりももっと平等である」に書き換えられていたのです。もちろん「もっと平等」なのは豚です。つまり、豚とそれ以外の動物たちの間に階級差があることが明文化されたのです。

豚は肥大化した行政、羊や馬を自粛警察や同調圧力に弱い人として見てみましょう。自粛警察のがんばりや同調圧力にたやすく屈する人々のおかげで、感染拡大を防ぐためさまざまな活動の休止が波紋のように広がっていきました。豚の思いどおりです。その過程で豚は自分たちの支配力をさらに強めるというわけです。

自粛警察の「状況はよくわからないが、営業を続ける店は悪だ！」的な正義感、あるいは無自覚な「翼賛」は、権力に利用され、気づかないうちに自分たちもまた支配される者になる。お前たちは支配され服従することで幸せになれる、という構造です。その構造はさらに強い同調圧力となり、翼賛体制は廃れることはなく、社会はさらに息苦しいものになっていくわけです。ニューノーマルの行き着く先が「動物農場」では困ります。

この種の危険を過小評価してはいけません。

「プラハの春」の後始末

ここで、国と時代を変えて、ニューノーマルの別の現れ方を見てみましょう。チェコスロバキアの例です。

1968年1月、ソ連を盟主とする東側の一員だったチェコスロバキアにおいて、アレクサンデル・ドプチェクがチェコスロバキア共産党第1書記に就任し、改革に着手しました。まず、言論の自由を保証し、4月には「人間の顔をした社会主義」を目指すという理念のもと、民主化を推進し始めました。いわゆる「プラハの春」です。もっとも「人間の顔をした社会主義」を理念に掲げるということは、これまでの社会主義が「人間の顔をしていなかった」ということです。ソ連型社会主義（スターリニズム）の全否定につながる可能性を「プラハの春」は持っていました。ソ連にとって、チェコの民主化運動は反革命、それこそ新型コロナのような、体制を蝕むウイルスが猛威をふるっているように映ったことでしょう。

6月、ワルシャワ条約機構軍の合同軍事演習が行われ、演習終了後も軍隊はチェコ領内に居座り続けました。同じ月、チェコの作家ルドヴィーク・ヴァツリークが起草し、70人あまりの知識人が署名した二千語宣言が発表されました。これは国民の側から民主化路線を支持する意味がありました。

危機感を募らせたソ連は、チェコ側と会談を重ねますが、両者の緊張は高まるばかりでした。そして8月20日夜、ソ連が主導するワルシャワ条約機構軍がチェコスロバキア全土を占領、プラハの春は挫折しました。

プラハの春の後始末としてチェコスロバキアで行われたのが「正常化」、チェコ語でノルマリザッツエといいます。

〈それ（正常化）は、ソ連指導者がかれらの勢力圏にある国々をどのようなメカニズムを用いて後見し、支配しているかをあからさまにあらわしている。一九六八年にソ連があやうく失いかけた統制力をとりもどすために、またジャン＝ポール・サルトルが正確無比に《物》となづけたものをよみがえらすために、ソ連の専門家とかれらのチェク人、スロヴァク人協力者はおそるべき技能を発揮したのである〉（『スターリン以後の東欧』F・フェイト著、熊田亨訳、岩波現代選書、カッコ内は引用者）

「かれらのチェク人、スロヴァク人」とはソ連に過剰適応して「正常化」を推進した人々のことです。ソ連をバックに強大な力を持ったチェコ版の自粛警察のようなものだともいえます。

まず着手したのが、ドプチェクを中心に民主化運動を進めた指導者を離反させることでした。サラミ戦術という、太い肉の塊りを少しずつ締めていってサラミソーセージをつくるように、敵対する相手を少しずつ殲滅《せんめつ》したり懐柔したりして無力化する手法が用いられました。チェコスロバキア共産党の幹部会を粛清し「大衆の党を精鋭の党に、生き生きと行動し、要求する党を服従する党」に、血を入れ替えるように党の性格を一変させました。検閲を復活させ、メディア、ジャーナリスト、作家などの言論を抑圧しました。労働組合、市民団体、学生団体など社会組織も次々と解体していったのです。

『スターリン以後の東欧』のチェコの正常化の記述に興味深い箇所があります。正常化を進める新体制側は、プラハの春を推進した人々の一部がユダヤ系であることを強調しました。

〈一九六八年運動の評価を失墜させようとつとめた。政治警察の責任者のひとり、ボフミール・モルナルは「一九六八年の運動はシオニスト運動と密接にむすばれていた」と言明している〉（同前）

こうした反ユダヤ宣伝は新聞、ラジオ、テレビでも展開され、著者のフェイトは次のように評しています。

〈人民政権をくつがえそうとするシオニストの大陰謀の神話を、ある種の人種差別主義ファシズムをしのばせるやり方でまきちらしており、ネオ・スターリン主義の《イデオロギー審問官》の心理がファシストに共通する内面の近似性をよくあらわしている。ファシズムの差別主義者のほうがはっきりと率直にものをいっているだけモラル的には程度が高いとさえいえるであろう〉（同前）

巧妙な手法で、人々のレイシズム（人種主義）を煽り、プラハの春の意義を貶めていったのです。

チェコスロバキアにおける正常化

正常化の過程で人々の反ユダヤ感情に訴えたことに関連して、エマニュエル・トッド氏が朝日新聞のインタビューで述べたことを紹介します。トッド氏は「欧州では極右の排外主義が近年力を強めていましたが、いささか挑発的な言い方をすれば、ウイルスは今のところ反レイシズム的です」と述べています。

つまり、コロナ禍が落ち着き、正常化（ニューノーマル）が進めば、再びレイシズムが頭をもたげてくる可能性があるといえます。その意味においてチェコの正常化と今後のニューノーマルとは、対をなしていると思います。

正常化が進められるなか、チェコ経済はインフレに悩まされていました。政府は、経済に活力を与え、プラハの春で民主化に目覚めて政治づいた市民の目を問題の中心から逸らせようとしました。

〈チェコスロヴァキア市民にも埋めあわせをあたえなければならない。つまり生活水準を高めて仕事に張りがでるようにするための物質的補償と、市民を私生活のたのしみに退行させていくことを奨励し、政治的圧力をやわらげる効果をもつ心理的な補償をあたえることである〉（『スターリン以後の東欧』）

これは、序章で述べた、市民が政治をしなくなる「欲望の王国」そのものです。チェコスロバキアにおける正常化を簡単にまとめれば、国民に対し、政府に文句を言うな、好き勝手はやめろ、規律を重視しろと、命じ従わせることです。自由を抑制すればするほど、全体として幸福になるという、典型的な全体主義のモデルが、新しい日常になったのです。

このようなことは、いまの日本ではありえないと思うかもしれませんが、『動物農場』で図式化した構図と似通っていると思いませんか。

見方を変え、プラハの春から正常化へと移行したチェコスロバキアと現在の日本の統治構造との共通点を簡単に整理してみます。

プラハの春を推進したドプチェク体制下では議会が強く、社会運動も盛んでした。ところが正常化によって、スターリン主義的な民主集中制、わかりやすくいえば、党中央で議論し多数決で決めたこと（民主）には、みんな従わなければならない（集中）ことがルールになり、行政機能を強化していったという特徴があります。日本では安倍政権が長期化する過程で、政権による国会軽視が指摘されてきました。政策によっては閣議決定によって進めることが目立つようにもなりました。つまり、内閣という行政が物事を進めるわけですから、第2章で見たように行政機能が日本でも強くなっています。両者の共通点は行政の優位です。

このように、時代も状況も異なる事象に共通点を見出す作業を行うことは、これから起きることを予想し、それに対して自分はどのような態度をとるかを考えるうえで重要なことです。

宗教は疫病をどう捉えているか

今後、確実に起きるといわれている新型コロナの第2波、あるいは新しい日常。さまざまな情報が日々あふれ、生活パターンや仕事のスタイルが変わる中で不安やストレスを抱え込んでいる人も少なくないでしょう。姿が見えないまま広がっていく脅威や先が見えづらい日常にどう向き合えばいいのでしょうか。

神学的思考、あるいは宗教的センスがその助けになります。一朝一夕に身につくものでではありませんが、それによって目には見えないけれども確実に存在する事柄を察知することができるようになります。

宗教は疫病をどのように捉えているのか、その見方の一端を、仏教とキリスト教、それぞれの例を挙げてみます。

序章で、ほぼ決まりかけていた収入が大幅に減った人への30万円給付を、公明党が覆して国民一律10万円給付へと道筋をつけたことを述べました。公明党をそこまで駆り立てたのは、党が大衆に基盤をおいていることと同時に、宗教的動機に基づいた部分があるからだと思います。公明党の支持母体は創価学会です。創価学会は日蓮仏法に基づいた宗教団体です。日蓮の教えのなかに疫病についての解釈があります。

「三災七難」という人間に降りかかる災いや苦難を意味する言葉で表され、「正法に背き、また正法を受持する者を迫害することによって起こる災害」（ＳＯＫＡｎｅｔ）のことをいいます。

「正法」とは、真理を正しく表した法のことです。災いは、正法に反する行いによって、また、正法を守る者を迫害することによって起きると考えられています。

〈三災について大集経には①穀貴［こっき］（飢饉などによる穀物の高騰）②兵革［ひょうかく］（戦乱）③疫病［えきびょう］（伝染病の流行）が説かれる〉（同前）

七難には天変地異のほか、「人衆疾疫難《にんしゅしつえきなん》」といって人々が疫病に襲われることが説かれています。

日蓮の教えでは、疫病に特別な宗教的な意味が与えられていることがわかります。今回の新型コロナウイルスの感染拡大を、創価学会は、人間が正法に背いたことによる「人衆疾疫難」と受け止めていると思います。

鎌倉時代、日蓮が活動した時期に地震や異常気象が相次ぎ、人々は飢饉や疫病に苦しみました。日蓮はその原因を、人々が正法に背き邪法を信じることにあると考え、『立正安国論』を著し、時の執権・北条時頼に提出しました。

日蓮は悪政だと思ったことは権力者に諫言し、そのために迫害を受けています。つまり、日蓮仏法には、政治や社会変革に積極的に関わっていくという要素があるのです。創価学会もまた、信心に基づいて現実を変化させようとしているのだと思います。

特定の信仰を持っていなくても、自分の中に、超越的なものに背くことへの畏れ、あるいは揺るがない軸があれば、私的領域に国家がどこまでなら踏み込んでも許容できるのか、はっきり線引きができると思います。翼賛的な同調圧力に対しても距離を保って過ごせるのではないでしょうか。

知性を信用しないキリスト教

キリスト教については、カミュの『ペスト』から考えてみましょう。

ペスト禍のために市の門を閉ざされ、外部との往来が途絶えたアルジェリアの都市・オラン。主要な登場人物のなかにパヌルーというイエズス会の神父がいます。かつては教会のミサに出かけていたオランの市民のなかには、先の見えないペスト禍に倦み、予言や迷信の類に飛びつく人々が出てきました。

そうして去る者が去ったある日のパヌルー神父の説教。私は神学を研究する者の1人として、この説教に注目しています。

パヌルー神父は、ペストという試練を前にして、人々が悔い改めることが重要だと説きます。「ペストのもたらした光景を解釈しようとしてはならぬ」と。医師のリウーも説教を聞きに来ていました。

〈リウーのおぼろげに読みとったところでは、神父にいわせれば、そこにはなんら解釈すべきものはないのであった。彼の興味が全くひきつけられたのは、パヌルーが、世には神について解釈しうるものと、解釈しえないものがあると、力をこめていったときであった〉（『ペスト』）

ここで悪が引き合いに出されます。悪には必要な悪と無用な悪がある。女たらしとして知られるドン・ジュアン。一般的にはドン・ファンの名で知られています。そのドン・ジュアンが死んで地獄に落とされたことと、子どもの死。前者の死が必要な悪で、後者の死は無用の悪です。ドン・ジュアンの死は当然の報いだが、子どもが苦しむことは納得できない。パヌルー神父は、子どもの苦しみという悪は、亡くなった子どもを待ち受けている久遠の喜びによって償われる――わかりやすく言えば天国にいける――と〝解釈する〟こともできました。しかしその説明には無理があります。

〈そもそも永遠の喜びが、一瞬の人間の苦痛を償いうると、誰が断言しうるであろうか？　そんなことをいうものは、その五体にも霊魂にも苦痛を味わいたもうた主に仕える、キリスト者とは断じていえないであろう。否、神父は壁際に追い詰められたまま、十字架によって象徴されるあの八裂きの苦しみを忠実に身に体して、子供の苦痛にまともに向い合っているであろう。そして、彼はこの日、自分の話を聞いている人々に向って、恐れるところなく、こういうであろう──「皆さん。その時期《とき》は来ました。すべてを信ずるか、さもなければすべてを否定するかであります。そして、私どものなかで、いったい誰が、すべてを否定することを、あえてなしうるでしょう？」

リウーが、神父は異端とすれすれのところまで行っていると、考える暇もほとんどないうちに、神父は早くも力強く言葉を続けて、この命令、この無条件の要求こそ、キリスト者の恵まれた点である、と断言した〉（同前）

パヌルー神父はイエズス会の神父です。つまりカトリックですが、カトリシズムは信仰と知性を調和させようと試みます。その立場からすれば「0か100か」的なパヌルー神父の言明を「異端すれすれ」と感じるリウーの反応はうなずけなくもありません。

しかし、プロテスタントである私はそうは思いません。キリスト教は本質において人間の知性を信用しないからです。プロテスタントは信仰と理性を調和させる試みを放棄し、「すべてを信ずるか、さもなければすべてを否定するか」と考えるのです。パヌルーは為す術のないペスト感染という極限状況の中で、カトリックからプロテスタントへと転向したのだといえます。

やがてパヌルーもペストに感染して死ぬことになりますが「すべてを信じる」という姿勢を崩さなかったので、彼は信仰に殉じたともいえるでしょう。神学者としての私はパヌルー神父の言明と同じく「すべてを信ずる」という態度を取っています。

信仰を持たない人にこの態度を説明することは難しいのですが、現在の新型コロナ禍になぞらえて説明を試みるならば、「私も新型コロナウイルスに感染するかもしれない。それ以上でも、それ以下でもない」。このような態度でいる、ということでしょうか。このような心のありようでいることが、情報に右往左往しない態度をつくり、あるいは個人と国家の関係を冷静に考える基盤になるのではないでしょうか。

ニューノーマルを生きる手がかり

新型コロナ禍とそれに続くニューノーマル。この間に、職を失った人、経営がたちゆかなくなった商店主や企業経営者もいるでしょう。職も収入もあるけれども思うように仕事ができず、精神的に追い込まれた人もいるでしょう。どん底の日々だ、どうして自分が……と感じている人も少なくないと思います。

この章の締めくくりとして、私の人生の方向を定めたチェコの神学者、ヨゼフ・ルクル・フロマートカの言葉から、ニューノーマルを生きる手がかりを探ってみましょう。

〈聖書的信仰を告白する者（キリストを信じる者）は（中略）途方にくれた人間が絶望しているところに神の力を見る。もう一度言おう。神は、悪が勝利をつかんだように見えるところで勝利する。神はその聖性の中で、そして救済者の力の中で、最も絶望的な場所、つまり陰府《よみ》にさえ臨在しているのである〉（『人間への途上にある福音』ヨゼフ・ルクル・フロマートカ、平野清美訳、佐藤優監訳、新教出版社、カッコ内は引用者）

「聖書的信仰を告白する者」は、自分たちが日々犯している罪を自覚することが重要です。その罪が形をとると悪になります。混乱し、どん底（最も深い深淵）のような状況に置かれている人間のところまで、神はイエス・キリストを遣わしてくる。これが、フロマートカの確信なのです。この確信は、フロマートカの人生に裏付けられたものです。

1947年の対話

1889年、チェコ（当時はオーストリア帝国）に生まれたフロマートカは、神学を学び、ナチスドイツの台頭に対する反対運動の中心に立ちました。そのために亡命を余儀なくされ、スイス、フランスを経てアメリカに渡りました。プリンストン大学神学部に教職を得て、そのまま米国籍を取ることもできたはずですが、1947年、いまだ戦禍の傷が癒えないチェコスロバキアへ帰国しました。社会主義化したチェコにおいて、改革派マルクス主義者とキリスト者の対話を始めました。

この対話は1968年の民主化運動「プラハの春」へとつながる幾筋かの流れのひとつになったのです。「プラハの春」はソ連の軍事介入によって挫折します。フロマートカは「正常化」に抵抗しましたが、病を得て翌69年12月26日、プラハ市内の病院で亡くなりました。死の2日前、フロマートカの弟子、オンドラが見舞いに訪れます。

〈オンドラ君、私にはもう一日、二日しかこの世の生は残されていない。最期に一つだけ君に命じておきたいことがある。私の遺言と思って聞いてほしい。私はこれまで君に対して命令を一度もしたことはなかった。ただし今回は命令である。亡命してはならない〉（『なぜ私は生きているか』ヨゼフ・ルクル・フロマートカ、佐藤優訳・解説、新教出版社）

フロマートカは、正常化が進められる過程で、弟子のオンドラを襲うであろう苦難がわかっていてなお、亡命することを禁じました。

〈いかなる困難があろうとも西側に亡命してはならない。（中略）私たちは祖国にとどまることによって、すなわち民衆と苦難を共有することにおいてのみ、イエス・キリストの信実を証しすることができるのである〉（同前）

フロマートカにとって、信仰即行為であり、行為即信仰だったのです。

フロマートカの態度を私たちに置き換えると、どのようなことがいえるのでしょうか。私たち一人ひとりが罪を認め、悔い改め、いま自分が置かれている場所で行動する、ということだと思います。信仰を持たない人には、「悔い改める」を、人生に対して謙虚になる、とでも言い換えればいいでしょうか。そのような態度でいることで、為政者が「コロナ時代の新しい日常」と呼び、その言葉に多くの人が反応しようとも、それが今日であり明日なのだと心平らかに認識できると思います。そして、そのような現実から逃げずに自分ができることをする、ということなのかもしれません。

第4章　企業と教育界に激震

~淘汰の時代がついに来た

テレワークのできた会社

新型コロナが、企業経営や雇用環境を一気に変化させるといわれています。テレワーク、リモートワークと呼ばれる在宅勤務へのシフトが最もわかりやすい働き方の変化です。

また、ZOOM《ズーム》やTeams《チームズ》などのウェブ会議サービスを使って仕事を進める。これは経済・ビジネス分野のメディアで、最近よく目にする、企業のDX（デジタル・トランスフォーメーション）の一環だといえます。

日立、カルビー、富士通など、有名企業が在宅勤務を積極的に導入することが報道されています。ネットのニュースサイトなどでもテレワークを上手くこなす小ワザや効率を上げる道具からリモハラ（リモートワーク・ハラスメント）の悩みまで、さまざまな情報を拾えます。そういった情報から、日本の企業の多くが、新型コロナ禍を契機にテレワークに切り替えているような印象を受けます。しかし、実態は違うようです。

人材系シンクタンクのパーソル総合研究所が、緊急事態宣言発出後の4月10日から12日にかけての働き方についての調査を、全国の就業者約2万人（20～59歳）に対して行っています。その結果、テレワークを実施していた人は27・9％。会社の規模別では、大企業

（従業員1万人以上）の正社員のテレワーク率は43・0％。一方、100～1000人未満の中小企業では、25・5％と、大きな差が生じています。また、緊急事態宣言が解除された後の同社の調査では、テレワーク実施率が25・7％とやや減少しています。

日本の全企業に占める大企業の割合は0・3％。中小企業が99・7％。従業員の比率では、大企業の社員が30％、残り70％が中小企業の社員です（2020年版『中小企業白書』による）。

もう少しデータを見てみましょう。企業から賃金を得ているすべての労働者（被雇用者）のうち、パートや派遣など非正規雇用者の比率は、38・2％（2019年総務省労働力調査）と、高水準です。「コロナ不況」で解雇や雇い止めにされた人は3万2348人（7月7日厚生労働省発表）で、そのうち約60％が非正規雇用者です。失業予備軍といわれる休職者が約423万人もいます。

これらのデータは、ますます進む二極化、さらに拡大する格差を物語っています。新型コロナ禍が引き金になって国内外の経済状況が一気に悪化しました。コロナ禍が落ち着いても経済の低迷が長引くと予想されています。経済危機に対して社員の仕事のやり方を変えて生き残りを模索する企業と、変革したくてもその体力がない企業。あるいは正社員と景気の調整弁にされる非正規社員。大企業の正社員であっても在宅勤務になじめる社員となじめない社員。被雇用者が抱えている困難の度合いは立場によって全く異なります。こうした困難を解決する万人向けの処方箋など存在しないことは誰にでもわかると思います。

この章では、「コロナ不況」の見取り図を簡単に描き、危機に背中を押されて大きく変わろうとしている働き方、傷んだ経済を再生させる可能性について考えたいと思います。そして産業界が変われば、求められる人材の質も変わります。必然的に教育にも変化が波及するのではないかと思います。一連の考察から、生き残りのヒントを探ってもらえればと思います。

経済が悪化する順番

新型コロナ禍が引き起こした経済危機は、2008年のリーマンショックに匹敵するといわれています。リーマンショックは、アメリカの投資銀行リーマン・ブラザースの経営破綻に端を発した世界的な金融危機でした。今回も世界的な危機である点は変わりませんが、リーマンショックとは様相が違うように思います。

新型コロナによる経済危機について説得力のある説明をしてくれているのが、冨《と》山《やま》和彦さんです。冨山さんは、産業再生機構でカネボウの再建などに携わり、その後、コンサルティングファーム経営共創基盤（ＩＧＰＩ）を設立、日本航空の再生を手がけるなど、企業の経営改革、成長支援の専門家です。

５月に刊行された冨山さんの著書『コロナショック・サバイバル』（文藝春秋）に、新型コロナ禍で経済が悪化する順番は「Ｌ→Ｇ→Ｆ」だと書かれています。Ｌはローカル、Ｇはグローバル、Ｆはファイナンシャル。それぞれの頭文字で表されています。

〈今回の危機は、感染症リスクに備えるために人々が様々な経済活動を控えることから生じている点で実体経済から始まっている〉（『コロナショック・サバイバル』）

これは実感としてわかると思います。食料品や生活必需品を売る店を除き、飲食店、ホテルや旅館、劇場、小売店など、幅広い業種が休業を余儀なくされました。私たちの生活に身近な業種ばかりです。消費者としての私たちも使うお金を絞ったのではないでしょうか。すると営業を続けている店も売上は激減し経営危機に陥ってしまう。これがローカルの危機です。読者の生活圏でも個人商店や夫婦で切り盛りしてきたような飲食店の経営が立ち行かなくなって閉店したり、クラウドファンディングで支援を募ったりしている事例を見聞きしているのではないでしょうか。

こうした業種のほとんどが中小企業です。従業員はパートやアルバイトといった非正規雇用者が多く、解雇されやすい立場にあります。自宅待機になったとしても収入が途絶えてしまいます。序章で触れた、新しい下層階級・アンダークラスへ転落し、そのまま固定化しかねない恐ろしさがあります。

〈ローカルなサービス産業の危機は非常に多くの、しかも弱い企業や労働者とその家族を厳しい状況に追い込むメガクライシスなのである〉（同前）

不安定な働き方をする人とその家族の苦境を、朝日新聞はこう伝えています。

〈神戸市の自営業の女性（47）は、一人息子（15）を育てるシングルマザー。介護が必要な父親と3人で暮らす。管理栄養士の資格を持ち、企業などの健康診断での保健指導を請け負う。3月、約30万円が手元に入るはずだった104件の仕事が、新型コロナウイルスの感染拡大防止の影響ですべてキャンセルされた。

息子は私立中学から高校へ内部進学するつもりだった。しかし、入学時納付金50万円を払えず、急きょ公立高校を受験。不合格だった。中学浪人し、いまは週1回、地元の無料学習支援の場に通っている。

女性は交通事故や離婚、病気を経験し、一時働けなくなったが、体調が回復した昨夏、支援団体から食料をもらいつつ、保健指導の仕事を始めた。少しずつ依頼が増え、暮らしが安定しそうだった矢先のコロナ。5月の手取りは1800円、6月は8千円だった〉（朝日新聞デジタル、7月5日）

リーマンショックのときにはローカルな経済圏がここまで大きく痛むことはなかった、と冨山さんは述べています。

ローカルな経済圏が縮小する一方で、ネット宅配やテレワーク関連の市場が伸びているから大丈夫、という発言をしている識者に対しては次のように切って捨てています。

〈リアルなローカルサービス産業が吸収している雇用はまさに膨大で、おそらく二桁くらい違うオーダーの世界を比較して代替を期待する議論はナンセンスである〉（『コロナショック・サバイバル』）

これは、在宅勤務比率が3割に満たないという、冒頭で触れたデータによって裏付けられると思います。

膨大な数の中小企業の労働者とその家族、小規模な自営業者が市中で回すお金が日本経済の基盤だといえます。そのお金の流れがどんどん細くなってしまうと、何かが欲しくても買えない、あるいは生きていくために必要なもの以外、欲しいとさえ思わなくなって「需要」そのものが消えてしまうことになりかねません。

次に襲いかかってくるのが、グローバルな危機です。海外に製造拠点を持ち、海外から部品を調達している自動車や電機などグローバルな大手製造業の供給網が、コロナのために途切れたという報道をしばしば目にします。しかし本当に恐ろしいのは供給網が切れたことではなく、これから先に起きることだと冨山さんはいいます。

その理由は、ローカルな危機で述べたように、需要が消える恐れがあるからです。過去、消費増税やリーマンショックなどの後、生活防衛のために、耐久消費財の買い控えが起きています。コロナ禍においても同じことが起きるのです。それだから供給網が回復して、製品を作っても、買ってくれる人がいなければ、企業にはお金が入ってきません。さらに深刻な問題があります。日本の大手製造業は国内にも下請けの中小企業を抱え、まだまだその裾野は広いのです。大企業が業績不振に陥れば発注が減り、下請けの中小企業に経営危機がやってきます。当然、そこで働く従業員と家族も危機にさらされます。

ローカルな危機がグローバルな危機を加速させ、それがさらなるローカルな危機を呼ぶ、という悪循環に陥るのです。

〈売り上げが大幅に落ち込むと、どんな大企業であっても本当にあっという間に手元資金は枯渇する。（中略）これを融資やCP（コマーシャルペーパー・資金調達のための短期無担保手形）などの借金で埋めるとすれば、巨額の借金が積み上がっていくことになる。それはやがて企業の存続、持続性を蝕んでいく〉（同前）

冨山さんは、グローバルの段階で危機を食い止めることができなければ、ファイナンシャル・クライシス、つまり金融危機が起き、いよいよ負の連鎖が止まらなくなると述べます。

ローカルの中小企業にせよ、グローバルの大企業にせよ、コロナによる需要減が短期的なもので、売り上げの回復が確実ならば、金融機関から資金繰りのための融資を受けても、それはプラスの借金です。しかし、需要の消滅が年単位で続き、売り上げが立たないまま融資を受け続けると、返す目処の立たない借金が増えていく一方になります。つまり不良債権化する恐れがあります。

巨額の不良債権は金融機関の経営を圧迫し、グローバルにもローカルにも流れ、そして還流するお金の巡りを阻害することになり、経済全体がシュリンクするという大きな負の連鎖が始まるのです。

メンタルケアもセットで行う

これが近未来の予測も含めた「コロナ不況」の見取り図です。大企業は生き残りをかけて変化を始めました。

一例として、2022年度末までにオフィスの規模を半減するとして話題になった富士通のプレスリリースを読んでみましょう。リリースのタイトルは『ニューノーマルにおける新たな働き方「Work Life Shift」を推進』です。

富士通は2017年からテレワークを正式に導入し、2020年4月からは、管理職1万5000人を対象に「一人ひとりが果たすべき職責を明確に定義し、その職責に応じた報酬設定と柔軟な人材配置を実現するジョブ型人事制度を導入」しました。

〈昨今、多くの企業がニューノーマルに対応したビジネスモデルや業務プロセス、働き方への変革を求められています。当社は、そのような環境下においても、DX企業への変革をさらに加速させ、生産性を高めながらイノベーションを創出し続けることを可能とする新しい働き方として、「Work Life Shift」を推進します〉

その具体策として、国内8万人のグループ従業員はテレワークを基本とした働き方に切り替える。全従業員のフレックス勤務、単身赴任者の自宅勤務。働く場所も自宅、ハブオフィス、サテライトオフィスなどから必要に応じて自由に選択できる。こうしたオフィスからテレビ会議に参加できるインフラの整備、社内情報にアクセスするためのセキュリティの整備なども盛り込まれています。

社内カルチャーの変革も謳われていて、具体的な施策として次のような項目が挙げられています。

●ジョブ型人事制度の一般従業員への適用拡大。（2020年度中に労働組合との検討開始）

●上司・部下間の1対1コミュニケーションの充実に向けた、全従業員対象の1対1コミュニケーションスキルアップ研修の実施。（2020年7月から実施）

●従業員の不安やストレスの早期把握と迅速な対応を目的としたパルスサーベイ、ストレス診断の実施。（2020年7月から実施）

テレワークへの切り替えとジョブ型人事制度導入が、社員へのストレスになることを予期して、メンタルケアもセットで行おうとしていることがわかります。ちなみにパルスサーベイは、社員の脈拍を計測することではなく、脈拍のチェックをするように個人と組織の関係性の健全度合いを測るという意味です。

IT環境の整備も含め、大企業だからできることだと思います。ただし、他人事だと思ってはいけません。

長々と富士通の事例を紹介したのは、テレワークを導入していない企業であっても、すでに年功序列型の人事や賃金制度を止めているところは多いはずです。ジョブ型人事制度だけを導入することは十分に考えられるからです。その場合、富士通のようなメンタルケアはセットでついてこないかもしれません。

読者がサラリーパーソンならば富士通の事例を次のように考えてみてはどうでしょう。自分の会社にテレワークが導入された場合にどうなるか。富士通のテレワーク導入に伴う施策がフルコースのメニューだとして、自分の会社の人事制度や賃金、福利厚生を鑑みて、引き算してみる。フルコースから何が残りそうかわかるはずです。そこから、今後、どのような働き方に変わるのかを予測し、自分はそれにどう対処するのか、準備することだってできると思います。富士通のプレスリリースは同社のホームページで公開されていますから、興味のある人は読んでみてはいかがでしょうか。

ジョブ型人事制度とは何か

さて、在宅勤務とセットで語られるジョブ型人事制度というのは、わかるようでいまひとつからないという人が多いと思います。ひとことで表せば、成果主義に基づいた人事と賃金制度です。

日本経済新聞が「コロナが変える働き方」と題した記事を掲載し、ジョブ型人事制度の現状をとり上げています。

〈ジョブ型雇用は職務を明確に規定し成果を評価しやすくする制度で、時間ベースの管理がしにくい在宅勤務とも相性がいいとされる〉（日本経済新聞、7月8日）

ただ、その職務と成果の評価基準をどう定めるか、一筋縄ではいかないようです。この記事でも富士通の事例が紹介されています。

富士通は課長職だけでも1万5000ポストあるそうで、全ポストの「職務規定書」を今年度（2020年度）中に作成するとしています。

〈職務規定書は具体的な業務内容や責任範囲、求められるスキルや技能、目的、資格などの項目が並ぶチェックリストで、ジョブ型を機能させるのに欠かせない〉（同前）

ただ、その規定内容が細かすぎると、社員を縛りすぎて柔軟に働けなくなり、曖昧な内容だと適材適所の人事が実現できず、成果を正当に評価する物差しとして機能しなくなるといいます。

職務内容が定められた1万5000のポストを「仕事の『難易度』、社会への『影響力』、他社との差別化になる『専門性』、国内だけでなく海外市場にも展開するといった『多様性』の4つの要素を基に9つのグレードで評価する」のだそうです。各グレード間は月給で5万〜10万円の差をつけて賃金に反映させる設計です。

今後、トライアル・アンド・エラーを重ねて制度が固められていくのだと思いますが、ジョブ型は大企業が先行し、中小企業はそれを研究して時間差で導入することになるでしょう。すでに成果型の働き方をしている人は比較的早くなじめるでしょうが、日本の企業に多い、社内のさまざまな部署を経験してキャリアアップをするメンバーシップ型の働き方が染みついている人には、かなりのストレスになると思います。これから社会人になる学生や若手社員は、自分を新しい働き方に合わせていく時間も、学びの機会もあるでしょうが、持ち時間が少ない中高年社員には相当の覚悟が迫られることになると思います。

マスク問題

さて、話題を変えます。冨山さんが分析しているように、経済全体が傷んでいます。グローバルな危機とファイナンスの危機は、いざとなったら政治で食い止めるしかありません。一方で、ローカルな危機は、小さい取り組みでも動き始めれば何かが変わる可能性があります。私たちの身近な経済圏を再生させるヒントを探ってみたいと思います。

たとえば、マスク。コロナのためにマスク不足やマスクの高値転売が問題になっていた4月1日、安倍首相は布製マスクの全戸配布を発表しました。この件に関連した4月17日の記者会見での出来事です。

〈朝日新聞記者が全世帯へ布マスクを2枚ずつ配布する政策などに批判があるとして、質問した。これに対し、首相は「御社のネットでも布マスク3300円で販売をしておられたということは承知をしておりますが、つまりそのような需要も十分にある中において、我々もこの2枚の配布をさせていただいた」と答えた〉（朝日新聞デジタル、4月22日）

安倍首相のマスクの値段まで持ち出した「返し」は、朝日新聞がマスク需要の高まりに乗じて儲けているような印象を与えました。ところが、朝日新聞社の通販サイトで扱っていたマスクは、大阪府泉大津市の老舗繊維メーカー大津毛織が製造したもので、一般の布製マスクとは比べものにならないくらい質の違うものでした。

SNS上で悪評が拡散し始めたことを憂慮した泉大津市長の南出賢一氏は首相官邸を訪ね、木原稔首相補佐官と面会、マスク製造の意義を説明しました。

〈南出氏は木原氏と面会後、記者団に対し、首相発言によって価格に批判が出たことなどについて「若干残念なところは当然ある」「現場のモチベーションがちょっと下がってしまった」と述べた。一方、大津毛織の布マスクについて「150回繰り返し洗っても使える」と品質の良さも紹介した〉（同前）

泉大津市のある大阪・泉州一帯は昔から繊維産業で知られています。高い技術力のある繊維メーカーも多く、今年（2020年）3月20日には泉大津市とその周辺の繊維メーカー10社が手作りマスクを地元で販売し始めました。コロナで長距離の移動自粛を求められ、身近な生活圏を見つめ直す動きが出ています。地産地消もその重要な要素だと思います。中国から輸入するマスクよりも地場の企業による手作りマスクも地産地消のひとつの形になるかもしれません。

今後もマスク需要は続くと思われます。すでに、各地でご当地マスクが売られていますが、マスク製造や年々増加する自然災害に備えた防災用品の製造もありだと思います。それぞれの地元で起こりやすい災害や住民のニーズに対応した防災用品を作る中小企業が増えてくるかもしれません。小さくても産業構造の変化ですし、軌道に乗ればそこに雇用が生まれるでしょう。

農業は新たな価値を作れるか

また、近年の健康志向の流れを背景に、新型コロナ禍で改めて安全、安心して口にできる、あるいは栄養面で優れた農産物へ関心が高まっています。日本の食料自給率は37％。つまり約60％を輸入に依存しています。今回の世界的なコロナ感染拡大のためにサプライチェーン（供給網）が切断されたことで、日本の食に対する不安の声が出てきました。

食料安全保障に対する消費者の受け止め方はさまざまです。健康志向の高まりから、安全な農産物を選ぶというだけでなく、健康な体づくりに資する栄養を含む野菜や豆類、穀類を求める消費者も現れています。あるいは地元で穫れた農産物を食べたいと願う人もいます。高齢化が進むにつれ、自分の健康を気遣うことからこのような志向を持つ人はますます増えるのではないでしょうか。

こうした消費者のニーズを先取りして農業のやり方を変えることも考えられます。時間はかかるでしょうが、大規模化が実現すれば、都市部の余剰労働力を農業が吸収する可能性もあります。

7月8日、政府は「経済財政運営と改革の基本方針2020」(原案)、いわゆる「骨太の方針」の原案を公開しました。その中に農林水産業についての言及があります。

〈感染症の影響が広がる中、国際的な輸出制限等に対応し、国内の生産基盤を維持・強化し、食料自給率・食料自給力の向上、食料備蓄や輸入の安定化を図り、国民生活に不可欠な食料の安定供給を実現できる総合的な食料安全保障を確立する。

このため、加工食品や外食・中食向け原料の国産への切替えや国産麦・大豆等の増産、輸出拡大による生産余力の向上など中山間地域等も含め国内生産基盤の強化を図る。

（中略）

感染症の影響も踏まえ、農林水産業の生産基盤を強化していくため、引き続き「農林水産業・地域の活力創造プラン」等に基づき、農林水産業全般にわたる改革を力強く進め、農林水産業を成長産業にしつつ、美しく伝統ある農山漁村を次世代に継承していく〉

具体的な施策までは記されていませんが、少なくとも新型コロナ禍を受けての変革の意思は示されています。農業が新たな価値を持つ産業へと変わり、食べていけることを示すことができれば、若年層の就農人口も増え、地方も活性化すると思います。

「骨太の方針」では、ポストコロナの時代の世界は、自国中心主義に傾き、デジタル化の波も手伝い、自由貿易体制に影響が及ぶ。そうした諸要素が国際社会の秩序に変化をもたらすと予測しています。〈我々は、時代の大きな転換点に直面しており、この数年で思い切った変革が実行できるかどうかが、日本の未来を左右する〉と述べています。

これから公共部門、民間部門を問わず、大きな再編が起きるでしょう。「骨太の方針」で述べられていることは「大文字」の理念に過ぎません。変革が求められる具体的な場面で重要になってくるのが、ローカルな経済圏で見返りを求めずに地域や弱い立場の人のために尽くす中小企業の経営者や地方公務員です。私がほんとうの意味でエリートと呼んでいる人たちです。コロナによってもたらされた危機から脱するためには、今後、こうした人々の力を引き上げることが死活的に重要になってくると思います。

新卒一括採用はなくなる

〈「ポストコロナ時代は大学もニューノーマル。高度成長期のモデルは過去のものだ」。東京大の五神真《ごのかみまこと》学長はこんな考えを示した〉(日本経済新聞、7月9日)

ポストコロナ時代に適応する再編の波は、当然、教育分野にも及びます。

大学が「就職予備校」と呼ばれるようになって久しいですが、そこでは終身雇用、年功序列を前提とした企業経営に適合する人材を育成すればよかった。しかし、学生を受け入れる側の日本型企業モデルは崩れました。従来型の教育を受けた人材では、グローバル化を進める大企業や外資系企業においては役に立たなくなるでしょう。いずれ新卒一括採用もなくなると思います。大企業といえども新卒者をその企業風土に合うよう時間をかけて育てるコストが負担になっているからです。日本の企業の圧倒的多数を占める中小企業にとっては、一括採用のメリットはそもそもあまりありません。それよりも即戦力になる人材を必要に応じて採用したほうがコストの面でも有利です。

新型コロナ禍で全国の小学校から大学まで、休校が長引きました。その過程で国際スタンダードでもある9月入学が議論され、実現するかと思われましたが、結局、見送られました。もし、9月入学が実現していたら、国際化の推進やカリキュラムの再編など、日本の教育を根底から変革できるいい機会だったと思います。

なぜ実現できなかったのか。身も蓋もない言い方をすれば、新しいことをやりたくない、というのが教育行政に関わる側も教育界の側も本音だったからだと思います。

夏目漱石の『三四郎』の出だしを思い出してください。東京帝国大学に合格した三四郎は入学のため、郷里の九州から汽車で東京に向かいます。名古屋で途中下車し、泊まった宿の部屋には蚊帳《かや》が吊ってありました。

つまり、季節は夏で、欧米の学制を取り入れた明治時代初頭は9月入学だったのです。

ところが、1886（明治19）年に東京師範学校が4月入学に変更し、それに伴い中学校、小学校（共に旧制）も4月入学になりました。その後、私立大学（当時は専門学校）が続き、1912（大正10）年に、高校、大学も4月入学に変わりました。

その背景には、満20歳の男性の徴兵検査の届け出日が4月1日だったという事情がありました。大学生には徴兵猶予が認められていましたが、9月入学のままだと、軍が大学に先んじていい人材を確保してしまいます。それを防ぐ意味もあって4月入学に切り替わったというのが定説です。以来、4月入学3月卒業は、100年以上続いています。長い年月のうちに「文化」となって定着し動かしづらくなっているのかもしれません。

簿記二級を義務づける理由

教育界が国際スタンダードから遅れる一方、大企業を中心に、経営を国際スタンダードに適合させる動きは止まらないでしょう。ジョブ型の導入も当然、その一環です。企業はすぐにでも働ける人を採用したいはずです。

そうなると、企業の変化に合わせて、大学も生き残りを図らなければなりません。

少し話を変えますが、フューチャーというITコンサルティングファームがあります。社長の金丸恭文氏は、文科省の中教審で「実践的な職業教育を行う新たな高等教育機関の制度化に関する特別部会」委員を務めた経験のある人です。フューチャーは「頭の良い理系の学生」を採用しているといいます。この会社に採用が決まった学生は入社までに簿記二級の資格を取ることが義務づけられています。また、理系の学生に対して奨学金を給付する公益事業も行っていますが、その給付条件にも在学中の簿記二級取得があります。

簿記二級の取得を内定者に義務づける理由について、金丸さんは「研究、開発、企画、営業などどのような仕事に就くにせよ、理系の学問以外に経営の実践的な知識を身につけた人材でないと、これからのビジネス界では通用しません」（神戸大学大学院科学技術イノベーション研究科HP）と述べています。

私が同志社大学で教えている学生の中にも簿記三級を取って、次は二級を取ると言っている学生がいます。金丸さんの話はもっともなことだと思います。

今後、大学には実践的な教育が求められるようになるでしょう。たとえば、経済学部・経営学部ではマンキューの『経済学』で理論を学ぶことよりも、簿記が必修科目になり、徹底して簿記を学んで企業の事業価値の計算ができるようになることが重視される。観光学科ならば観光の歴史ではなく、英語の合格率9・2％（2019年）の全国通訳案内士の資格取得を目指して、実践的な英語を教えるようになる。あるいは社会学部では、社会学の理論よりも、統計データを狙い通りに分析できるプログラミング技術を徹底的に教える。

大学の専門学校化です。わかりやすいのが、神学部のある大学の例です。牧師になるための説教の仕方や儀式の運営法を教える大学――こちらが専門学校的――と、学術的な神学を研究する大学に分かれています。

今後、一般の大学でも、専門学校化する大学と学術教育に力を入れる大学とに分かれていくと思います。

学術的な教育に力を入れる大学では、企業で役立つ実践的な知識や応用力は身につけられないでしょう。しかし、高度な知的運用能力を身につけられます。このような性格の教育機関はむしろ教育のグローバル化となじみやすいと思います。

たとえば、国文学を専攻し、研究者を目指す学生は、外国の学生や研究者と議論ができなくてはなりません。平安文学を研究テーマにするのなら、時代背景や日本文学史の中での位置づけなどを英語で発信する必要があります。つまり、国文学（日本文学）を専攻するなら英語を学術レベルで読む・書く・話す・相手の言うことを理解する、といった能力が求められることになります。そうしないと今後、日本文学の世界で生き残れないでしょう。逆に国語の教師を目指す学生は教育学部の国語科に進み、国語科の教育法をきちんと学べばいいのです。

では、教養科目はどういう扱いになるのでしょうか。学術的研究をする学生や官僚を目指す学生、あるいは理系の学生には教養科目は必要です。将来、仕事で外国のカウンターパートと信頼関係を結ぶには、日本の文化、歴史、思想、宗教、あるいは西欧世界のそれに通じ、議論できるようになる必要があるからです。

専門学校化した大学の学生には、教養科目は必修ではなくなるでしょう。お辞儀の仕方、名刺の渡し方、座席の位置、目上の人にタメ口をきかないなど、社会人としてすぐに役に立つこと、昔風にいえば「修練」のような授業が重要視されるのではないかと思います。

プリント消化が困難な子ども

教育に関して、もう一つ気になることがあります。新型コロナのために休校が長期化したことによる、初等・中等教育への悪影響です。初等・中等教育は義務教育です。子どもたちにとっては権利でもあり、国が子どもたちの学ぶ機会を担保しているわけです。そうであるにもかかわらず、コロナ禍のために、学問の基礎体力をつけるべき世代から、等しく学べる機会が奪われてしまいました。その点は政府も認めています。

〈感染症による学校の臨時休業により、公教育のオンライン対応の遅れが顕著になり、学びを止めないことが課題となった。学びにおけるデジタル化・リモート化を推進し、優れた取組の横展開とＰＤＣＡの実行により、教育の質の向上と学習環境の格差防止に取り組み、子供たちの学びを保障する〉（経済財政運営と改革の基本方針２０２０原案）

休校期間中、経済的余裕がある家の子どもは、塾のオンライン講習を受けるなどして、学習を進め、一方では、授業も受けられないまま、学校から配られたプリントをこなさざるを得なくなった子どももいます。教師の指導なくしてプリントの消化ができないこともあります。

こうした学びの不均衡は、親の収入格差だけでなく、各地の自治体の姿勢によって生じる地域格差によっても生じているようです。

朝日新聞は、休校中に塾に通おうとしたが、塾代が払えなくて断念した神戸市の中学生の実例を伝え、同市のオンラインによる個別指導の取り組みなどを伝えています。

〈家庭の経済状況などによって、休校中の学習に大きな違いが出ている。神戸市は6月、生活保護や就学援助を受ける家庭の中学3年の生徒を対象に、オンラインの個別指導を始めた。申し込んだ生徒約100人は、50分間の指導を週に1回受けることができる。市が公募した大学生たちが講師役を担う。月末までの予定だったが、好評だったため、神戸市は来年3月末まで延長し、対象も中学2年にまで広げることを決めた〉（朝日新聞デジタル、6月23日）

ほかに大阪府箕面市の公立学校が、夏休みとしていた10日間のうちの平日を登校日とし、午前中は一斉授業、午後は学習習熟度別の補充授業を予定していることなどを伝えています。このような公教育の取り組みが全国的に広がっているのかどうか、非常に気になります。

40代管理職の転職

最後に、ここまで述べてきた新型コロナ後の働き方や教育の変化に、個人としてどう対応すればいいのか、私の考えを述べます。

まず、子どもの進路について考えている親御さんへは、大学進学が希望なら、文系、理系という受験の区別にとらわれず、子どもが高校の科目を手を抜かずに履修することを勧めます。さらに偏差値に関係なく、社会に出て役立つ資格や技術が身につき就職に強いと定評のある大学を受験するといいでしょう。文系に進んで事務職を希望しても、AIが代替する部分が多くなり、企業が求めるのは幹部候補に絞られ、狭き門になることが予想されます。文系の学生は、大学に入ってから数学検定試験を受けて、客観的に高校レベルの数学力があることを証明できるようにすべきです。

大学生で企業への就職を希望しているならば、すでに述べたように自分の専門とは違う分野で実社会において武器になる資格や特技を身につけることです。

若手のサラリーパーソンで事務職ならば、社内でしか通用しないスキルを身につけても意味がありません。その会社が未来永劫メンバーシップ型の人事制度をとり続ける保証はありませんし、中途半端な形でジョブ型に移行したら人事評価や働き方に混乱が生じ、悲惨なことになります。大学生の場合と同じで、どこに移っても通用する資格や比較優位に立てる特技を磨くことだと思います。

40代の管理職で、もし同じポスト・年収でヘッドハンティングの声がかかったら、いったん冷静に考えてください。仮に現在の年収が800万円だとします。移籍先も800万円だったとしたら、実質的な年収は2割減の640万円になります。なぜならば、転職者を積極的に募集する企業はジョブ型が多いと思います。達成すべき数字が設定されるプレッシャー、新人管理職に対するプロパー社員の目。成果を出すために必然的に労働時間がいまよりも長くなるでしょう。そうした新たな精神的・物理的負担が年収の2割くらいに相当すると考えられるからです。このような視点で見直してみて、転職するに値するのかどうか判断してもいいのではないでしょうか。

早期退職勧奨の対象年齢になっている40代後半〜50代のサラリーパーソンには、ギリギリまでいまの会社にしがみつくことをお勧めします。独立してやっていけるだけの資格や特技を持っていない人はとくに。辞めてもいまと同じ条件で雇ってくれる会社は、まずありません。

第5章　コロナ下に起きた安全保障の異変

住民の不安と技術的欠陥

最終章では、新型コロナ禍の陰で日本の安全保障環境に変化の兆しが生じていることを述べたいと思います。感染対策にばかり目が向きがちですが、見逃してはならない問題です。

6月15日、河野太郎防衛大臣が陸上配備型迎撃ミサイルシステム「イージス・アショア」の配備計画を停止すると発表しました。続いて6月24日、国家安全保障会議でイージス・アショア配備断念が決定され、7月3日、国家安全保障局長の北村滋氏がアメリカ側に配備断念を伝えました。

イージス・アショアの配備が断念されることになった大きな理由は、配備予定地のひとつ、山口県の地元住民の不安と迎撃ミサイルの技術的な欠陥にあります。

イージス・アショアは、2017年12月に導入が決定されました。その背景には、2016年から2017年にかけて北朝鮮が弾道ミサイルを40発発射、その性能が向上し、脅威が高まっていたことがあります。アメリカから陸上配備型の弾道ミサイル迎撃システム2基を購入して、日本海側の南北に適地を選定し、1基ずつ配備。2023年の運用開始を目指していました。
2018年12月に発表された「中期防衛力整備計画（平成31年度〜35年度）の「自衛隊の能力等に関する主要事業」の節に「総合ミサイル防空能力」と題された項目があり、イージス・アショアの整備についての記述があります。イージス・アショアは日本のミサイル防衛の中でどのような位置づけになっていたのでしょうか。

〈弾道ミサイル、巡航ミサイル、航空機等の多様化・複雑化する経空脅威に対し、最適な手段による効果的・効率的な対処を行い、被害を局限するため、ミサイル防衛に係る各種装備品に加え、従来、各自衛隊で個別に運用してきた防空のための各種装備品も併せ、一体的に運用する体制を確立し、平素から常時持続的に我が国全土を防護するとともに、多数の複合的な経空脅威にも同時対処できる能力を強化する。この際、各自衛隊が保有する迎撃手段について、整備・補給体系も含め共通化・合理化を図る〉（中期防衛力整備計画〔平成31年度〜35年度〕について）

空からの攻撃手段が多様化・複雑化していることを踏まえ、これまで陸・海・空の各自衛隊が個別に運用していたミサイル防衛を一体的に運用するシステムへと構築し直し、24時間365日、日本の全領土を守り、ミサイル攻撃による被害を最小限にとどめる、と述べている点がポイントです。

このような前置きに続いて、イージス・アショアの配備が語られます。

〈弾道ミサイル攻撃に対し、我が国全体を多層的かつ常時持続的に防護する体制の強化に向け、陸上配備型イージス・システム（イージス・アショア）を整備するほか、現有のイージス・システム搭載護衛艦（DDG）の能力向上を引き続き行うとともに、前記（ア）（ii）に示すとおり、地対空誘導弾ペトリオットの能力向上を引き続き行う〉（同前「前記（ア）（ii）」とは、防空能力の向上について述べた項を指す）

弾道ミサイルは打ち上げ後、いったん大気圏外に出て、抵抗の低い空間を高速で飛行し、敵地を攻撃します。狙った場所に確実に着弾させる命中精度は、大気中を飛ぶ巡航ミサイルよりも劣りますが、とにかく飛行スピードが速いため、守る側は、弾道ミサイルがどのような軌道で、いつどこに着弾するのか、迅速に計算し、迎撃手段を決めねばなりません。

もはや点の防衛では間に合わず、隙間のない、三次元のようなミサイル防衛が求められ、イージス・アショアはその一環として整備が進められていたわけです。

重なった不誠実な態度

イージス・アショアは秋田県の陸上自衛隊新屋《あらや》演習場と山口県の陸上自衛隊むつみ演習場が最適地として配備が計画されました。ところが、秋田県の新屋演習場の計画に対しては、周辺住民が強く反対し、佐竹敬久秋田県知事も受け入れに難色を示していました。そしてイージス・アショアのレーダーを遮るとされた山の標高を防衛省が誤って記載したこと、地元説明会で同省職員が居眠りするなどの不誠実な態度が重なり、政府は今年5月、新屋演習場への配備を断念しました。

そして今回の山口県の配備計画停止です。冒頭で、配備計画停止の理由を地元住民の不安と迎撃ミサイルの技術的欠陥だと述べましたが、その点を朝日新聞の記事で確認してみましょう。

〈河野氏は今回の配備計画停止の理由について、山口配備に必要な措置を講じるうえで

「相当のコストと期間を要することが判明した」と説明した。
山口配備をめぐって、地元住民らの大きな懸案になっていたのが、迎撃ミサイルを打ち上げた際に切り離す推進装置「ブースター」の落下だった。防衛省は、レーダーや発射装置と民家などの間に約700メートルの緩衝地帯を設け、迎撃ミサイルが飛ぶ経路を制御することで、ブースターを演習場内に落下させると説明。「安全に配備・運用できる」としてきた。
これに対して河野氏は、米側との協議の結果、確実に演習場内に落下させるためにはシステム全体の大幅な改修が必要で、相当のコストと時間を要することが判明したと明らかにした。「コストと期間に鑑みて、イージス・アショアを配備するプロセスを停止し、国家安全保障会議に防衛省として報告をして議論をいただいて、その後の対応を考えていきたいと思う」と語った〉(朝日新聞デジタル、6月15日)
ブースターは、発射直後のミサイルを所定の巡航速度にまで加速させることが役割です。役目を終えたらミサイルから切り離され、地上あるいは海上に落下します。迎撃ミサイルの全長は約6・7メートル。3段式になっていてブースターの大きさは、長さ約1・7メートル、直径約53センチ、重さ約200キロです。このような物体が高度数千メートルで切り離され、もし民家や学校に落ちたら、どのようなことになるのか、想像に難くありません。

迎撃ミサイルの役割は、攻撃してきたミサイルを着弾する前に確実に破壊することです。迎撃精度を高めるためのミサイル設計、運用システムの構築が最優先です。役目を果たしたら不要になるブースターの落下位置を制御するという発想はありません。兵器の設計思想とはそのようなものなのです。

イージス艦での迎撃実験にかかわった経験がある海上自衛隊の元幹部はNHKの取材に次のように述べています。

〈ミサイルのブースターやロケットモーターは、バンドのようなもので締めてつないであり、火薬を爆発させて外すだけ。落下をコントロールする発想は設計上、全くないし、ミサイルを発射するような状況では、弾道ミサイルに命中させることが第一だ〉（NHK政治マガジン）

「確実に演習場内に落下させるためにはシステム全体の大幅な改修が必要」だという河野防衛相の説明を裏返せば、このままの状態で運用が始まると、ブースターが民家に落ちることもある、ということになります。安全に運用できるという前提が覆ったわけです。

ミサイル発射施設と迎撃を想定する空域との間に民家がある場所に配備することは、そもそも無理筋の話だったようです。

むつみ演習場内にブースターを確実に落下させられないことが判明した際、防衛省はソフトウエアの修正で対応できると考えていました。しかしその後、ミサイル本体を含めた大規模な改修が必要になることが判明したのです。そのためのコストが2000億円、要する期間は約12年——6月3日、河野防衛相はこのような最終報告を受けました。イージス・アショア配備計画を継続することは現実的ではありません。

〈「私はやりたくありません」。6月4日夕、首相官邸。河野氏は安倍晋三首相にこう告げた。陸上イージスの配備計画を白紙に戻すべきだという訴えだった〉（朝日新聞デジタル、6月24日）

官邸主導で進められた導入

そもそも、イージス・アショア配備は自衛隊側が要望したものではありませんでした。

〈防衛装備を導入する際は通常、自衛隊から要求があり、地元との水面下の調整なども踏まえ、防衛省で配備の方向性を定め、首相官邸で最終決定する。

だが、イージス・アショアは違った。北朝鮮の核・ミサイル開発に加え、米国による武器購入圧力が相まって、政治主導のトップダウンで決められていった。

実際、17年12月に配備を閣議決定した前月の日米首脳会談では、トランプ米大統領が「非常に重要なのは、首相が（米国から）膨大な量の兵器を買うことだ」と要求。安倍首相も「米国からさらに購入していく」と応じていた。

トップダウンの決定に、防衛省内からも戸惑いの声が上がっていた。「アショアの性能もリスクも知らされず、急きょ上から地元説明に行けと言われた」「迎撃時にミサイルの破片が地元住民に降り注ぐリスクはゼロではない」。こうした声はかき消され、導入ありきで進んでいった〉（同前、6月16日）

イージス・アショア導入が、官邸主導で進められたことがよくわかる記事です。配備決定の時点で、安倍一強が続いて5年。すでに行政権の優位、とりわけ行政府の長である首相に力が集約されていたことが窺えます。

その背後にアメリカからの武器購入圧力があったこともこの記事は示唆していますが、今回、イージス・アショア配備を断念したことはアメリカとの関係において2つの意味があったと思います。

ひとつはアメリカの軍産複合体にとって、配備断念は大きなビジネスチャンスを失うことを意味しています。軍産複合体が巻き返すにはトランプ大統領を動かすことが必要ですが、11月の大統領選を控え、内政にしか目を向けることができず、日本のイージス・アショア配備計画の停止を再び動かすような余裕はありません。

アメリカに「No」と言って起きた波紋

もう一点、対米従属論を唱える有識者は、日本はアメリカの要求を断ることができないと主張しています。ところが今回、イージス・アショアの配備を断念したことで、日本はアメリカに対して「Ｎｏと言える」ことを示すことができました。アメリカに「Ｎｏと言える」ことによって、２つの波紋が起きたと思います。これからそれぞれの波紋について述べていきます。

第１の波紋は、イージス・アショアの代わりになる装備をどうするか、ということです。イージス・アショアをやめたからといって、北朝鮮から弾道ミサイルが飛んでこなくなるわけではありません。

まず、２０１８年の中期防衛力整備計画のイージス・アショアを含む、ミサイル運用について触れた箇所を読んでみましょう。

〈日米間の基本的な役割を踏まえ、日米同盟全体の抑止力の強化のため、ミサイル発射手段等に対する我が国の対応能力の在り方についても引き続き検討の上、必要な措置を講ずる〉（同前）

文中の「日米間の基本的な役割」に注目してください。日本は憲法で専守防衛が定められています。つまり、日米間の基本的な役割とは、日米共通の敵に対し、米軍が攻撃を担い、自衛隊が防衛に徹する、ということになります。

イージス・アショアは配備完了後、海上自衛隊が運用するイージス艦や航空自衛隊のパトリオットなどの迎撃ミサイルシステムと連携し、一体的に運用される予定でした。あくまでも防御をより強固にするという方向です。

しかし今回の配備断念で、そのシステムに穴が開く形になりました。その穴を埋めるために陸上イージスシステムを運用できる別の候補地を探す、というのは非現実的です。北朝鮮の弾道ミサイルの脅威からの防衛が前提ですから、適地は日本海側で南北に1基ずつ、今度はブースター落下による民間被害の恐れのない場所を選ぶとなるとほぼ不可能でしょう。

そうすると、全く別の発想が出てきます。イージス・アショア配備計画停止から間を置かずに浮上してきた「敵基地攻撃能力」の保有がそれです。

この根拠は、1956年2月の衆議院内閣予算委員会で鳩山一郎内閣が政府見解として述べたことにあります。

〈わが国に対して急迫不正の侵略が行われ、その侵害の手段としてわが国土に対し誘導弾等による攻撃が行われた場合、座して自滅を待つべしというのが憲法の趣旨とするところだというふうには、どうしても考えられないと思うのです。そういう場合には、そのような攻撃を防ぐのに万やむを得ない必要最小限度の措置をとること、たとえば誘導弾等による攻撃を防御するのに、他に手段がないと認められる限り、誘導弾等の基地をたたくことは、法理的には自衛の範囲に含まれ、可能であるというべきものと思います〉

当時の船田中《なか》防衛庁長官はこのように答弁しました。

敵国からのミサイル攻撃などに対する防御手段について、日本が敵基地を攻撃する以外にない場合、その攻撃は憲法が認める自衛権の行使として許容されるというもので、歴代内閣もこの見解を引き継いできました。

敵基地攻撃能力の保有は、憲法上認められていても、日米安全保障条約体制下では、敵基地攻撃能力はアメリカが実質的に持ち、日本はそれを完全に封印し、専守防衛に徹してきました。この日米で攻守の役割を分担するというゲームのルールによって、戦後東アジアの安全保障環境が維持されてきました。

復活した「敵基地攻撃能力の容認」

イージス・アショア配備計画の停止が発表された翌6月16日、小野寺五典元防衛大臣が敵基地攻撃能力の保有について言及します。

〈「ミサイル防衛が技術的に難しいとなれば、抑止力のために反撃能力を持つべきではないか」と述べ、敵基地攻撃能力を保有する必要性を強調した〉（朝日新聞デジタル、6月20日）

安倍首相も6月18日の記者会見で、敵基地攻撃能力という言葉は使いませんでしたが、防衛についての議論を質的に変えていく意思を表明しました。

〈「相手の能力が上がっていく中、今までの議論に閉じこもっていていいのか。自民党などの提案を受け止めていかなければいけない」と検討する姿勢を示した〉（同前）

自民党は、敵基地攻撃能力の保有論を2017年に提起していました。同年3月29日、自民党の「弾道ミサイル防衛に関する検討チーム」が政府に対し、検討を始めるよう提言をまとめ、30日に安倍首相に提出しました。提言では、敵基地攻撃能力を敵基地「反撃」能力と表現していました。

ところが安倍首相は同年8月、敵基地攻撃能力の保有について「敵基地攻撃能力の保有に向けた具体的な検討を行う予定はありません」と述べています。

イージス・アショア配備計画が消えたことで、敵基地攻撃能力の容認という主張が息を吹き返してきたことになります。7月中に一定の結論をまとめることを目標に、6月30日、自民党のミサイル防衛に関する検討チームが動き始めました。座長は小野寺氏です。

〈敵基地攻撃能力の保有についても議論した。会合後、中谷元・元防衛相は記者団に「憲法上は『座して死を待つべきではない』という解釈でミサイル基地をたたくことは可能だ」と必要性を強調した。一方、岩屋毅・前防衛相は「イージス・アショアの配備が難しいからと言って、一足飛びに敵基地攻撃能力の保有を考えるのは論理の飛躍がある」とし、「専守防衛の方針の大きな転換だ。慎重な上にも慎重な議論が必要だ」と指摘した。
小野寺氏は会合後、敵基地攻撃能力について「憲法の規定で必要最小限のものは認められるが、相手国を壊滅的に破壊するものは持たない。のりはこえないなかで議論していきたい」と語った〉（同前、7月1日）

「脅威」は意思と能力によって成立します。日本は専守防衛に徹することで周辺諸国に、攻撃に関しては意思も能力もないことを示してきました。ところが、敵基地攻撃能力保有の方向で議論が動き始めると、能力をもつ可能性が高くなります。あとは意思があれば、外国の基地を攻撃することができます。周辺諸国にとって日本は「脅威」になるわけです。

いち早く反応した韓国

日本のイージス・アショア計画停止から敵基地攻撃能力の保有議論への転換に対し、周辺諸国の中でも韓国がいち早く反応しました。

韓国紙の中央日報は、新型コロナ対策で支持率が低下した安倍首相が敵基地攻撃能力というカードを切ってきたのではないかという視点で、長文の記事を載せています。毎日新聞の記事を援用しての展開です。

〈自衛隊の憲法明記を推進するなど「戦争できる日本」を志向してきた安倍氏は「敵基地攻撃能力」保有論者だ。

だが、安倍氏を歴史修正主義者と見る国際社会の刺すような視線などを憂慮して、今まではその爪を隠してきた。

2012年末の再執権以後もずっと「敵基地攻撃能力は米国に依存していて、今後も日米間の基本的な役割分担の変更は考えていない」と話してきた。

それほど敏感なイシューに対して、安倍氏が突然「防衛に空白を生むことはあってはならない」としながら、議論の解禁を宣言したことをめぐっては日本メディアからその底意を疑う眼差しも向けられている。

毎日新聞は「安倍氏が敵基地攻撃能力保有の検討を唐突に表明した背景には、度重なる政権の『失態』から批判をそらす思惑も見え隠れする」とした。また「憲法改正もだめ、拉致問題の解決もだめ、北方領土問題もだめ、結局、新たなレガシー(政治的遺産)にしようとしているのでは」という野党議員の発言も紹介した。

同紙はあわせて「敵基地攻撃能力」関連議論が中距離ミサイル保有問題に拡大する可能性があるとみている。

「在日米軍の駐留経費負担に関する交渉が近く本格化する見通しだが、『自衛隊の役割の拡大』が論点になる可能性もある」「米露の中距離核戦力（ＩＮＦ）全廃条約が失効したことで、米軍は東アジアでの中距離ミサイル配備の検討を進め、日本への配備だけでなく、自衛隊による地上発射型の中距離ミサイル保有も水面下では協議されている」などとしながらだ。

関連議論は周辺国との摩擦を呼ぶよりほかない〉（「中央日報」日本語版、６月22日）

この論評の中で注意したいのは、日本が中距離弾道ミサイルを保有するのではないか、それによって周辺諸国との間に緊張が生じ、大変なことが起きるのではないか、と懸念している点です。私はこの懸念は事柄の本質を突いていると思います。いまのところ、中国とロシアは露骨な反応を見せていませんが、それは事態が深刻だから軽々に反応してはならないということで、日本側の真意を見極めているところではないかと思います。だから東アジアにおいて、いままでにないような安全保障環境の変化が生じているといえます。

その変化を加速させる契機になりうるのが、北朝鮮の動向です。北朝鮮は新型コロナ禍で中国との国境を閉じたため、物流も激減し、経済状況が悪化、食糧も逼迫していると伝えられています。

トランプ氏へのラブコール

北朝鮮は6月16日、開城《ケソン》に設けられていた南北共同連絡事務所を爆破しました。この事務所は2018年4月に韓国の文在寅《ムンジェイン》大統領と北朝鮮の金正恩《キムジョンウン》朝鮮労働党委員長が合意した「板門店《パンムンジョム》宣言」に基づいてつくられた当局者間の協議のための施設でした。この爆破に関して、北朝鮮政府が事実上運営するウエブサイト「ネナラ」（朝鮮語で〝わが国〟の意味）は次のように報じました。

〈わが祖国の最も神聖な尊厳と権威に挑戦したくずの連中と彼らの歯軋りする罪科を黙認してきた連中に対するわが人民の憤激した懲罰熱気をこめて、わが方の当該部門ではすでに宣明した通りに開城工業地区にあった北南共同連絡事務所を爆破して完全に破壊する断固たる措置を実行した。（中略）北南間のすべての通信連絡線を遮断したのに続いて断行された今回の膺懲措置は、絶対に傷つけてはならないわれわれの最高の尊厳をけなした連中と何の呵責も反省の様子も見えない連中に必ず罪の代価を払わせるためのわれわれの1次的な最初の段階の行動である〉（「ネナラ」日本語版、6月17日）

韓国の脱北者団体が金正恩氏を批判するビラを気球で北朝鮮に散布したことに北朝鮮当局が激しく反発した結果が南北共同連絡事務所爆破につながったといわれています。ただし、今回の爆破はこれまでの北朝鮮の極端な行動とは少し違う点があります。「すでに宣明した」と述べていることに留意してください。

共同連絡事務所爆破の3日前、6月13日に金与正《キムヨジョン》朝鮮労働党第1副部長（金正恩氏の妹）が談話を発表しました。今度は韓国の中央日報の記事を読んでみましょう。

〈特に軍事的行動を示唆した金与正が「遠からず、無用な北南共同連絡事務所が跡形もなく崩れる悲惨な光景を見ることになるであろう」と言及し、一部では板門店宣言の結実とされる開城工業団地に建設した南北共同連絡事務所を爆破する可能性まで提起されている〉（「中央日報」日本語版、6月14日）

これまでと違う点というのは、金与正氏が「すでに宣明した」、つまり事前に警告したことです。これは北朝鮮流の気配りだと思います。

2010年11月に北朝鮮が突然、黄海にある韓国の大延坪《テヨンピョンド》島を砲撃したときと比べてみましょう。約170発の砲撃のうち、80発が島に着弾し、韓国側に死傷者が発生しました。ところが今回は、短距離ミサイルの発射、南北共同連絡事務所の爆破など韓国側に人的被害が出ない方法を選択しています。今回の爆破は第一段階で、今後、追加的な挑発活動を行うと予告しています。

〈朝鮮人民軍総参謀部は、すでに去る16日、次の段階の対敵軍事行動計画方向について公開報道した。17日現在、具体的な軍事行動計画が検討されているのに合わせて、次のようにより明白な立場を明らかにする〉（「ネナラ」日本語版、6月17日）

北朝鮮は、このように前置きして、金剛山《キムガンサン》にある韓国が建設したホテルと開城で韓国企業が活動していた工場を破壊するというシグナルや、南北間の非武装地帯に軍を展開することなどを予告しています。これは北朝鮮流のラブコールです。北朝鮮には「求愛を恫喝で示す」という独自の外交スタイルがあります。しかしラブコールの相手は、韓国の文在寅大統領ではありません。

北朝鮮の意中の人物は、トランプ米大統領です。2018年6月、19年2月、6月に米朝首脳会談が行われましたが、現在、両国間の関係正常化交渉は停滞しています。今年（2020年）11月には米大統領選挙があります。それに加え新型コロナウイルス対策や人種問題でトランプ大統領は内政で手一杯になってしまい、対北朝鮮外交に取り組む余裕がありません。このような現状に北朝鮮は苛立ちを強めているのです。

「求愛」を無視すると

現在、アメリカ、日本、韓国などが行っている北朝鮮に対する経済制裁を解除してほしいというのが北朝鮮の本音です。この目的のために、極端な手法を取ってトランプ氏の目をもう一度、北朝鮮に向けさせることを金正恩氏は狙っているのです。

今回は、あえて金与正氏を前面に出し、金正恩氏が直接、共同事務所爆破を指示していないことが注目されます。金正恩氏と取り引きすれば事態を沈静化させることが可能であるというシグナルを北朝鮮が送っているのだと思います。トランプ氏が金正恩氏の「求愛」を無視すると北朝鮮の挑発活動のレベルが上がると思います。

ちょうど小学生の男子が好きな女の子に消しゴムを投げていたのが、画鋲《がびょう》を投げるまでにエスカレートするように、太平洋上に中距離弾道ミサイルを発射し、アメリカが反応せざるを得ない状況を作り出す可能性が高いと思います。日本列島の上、つまり私たちの頭上を北朝鮮の中距離弾道ミサイルが飛び越えていくことになります。その時、日本は敵基地攻撃能力の保有に向けて大きく傾きかねません。

北朝鮮の朝鮮中央通信は、日本の敵基地攻撃能力保有の議論が浮上したことについて次のように論評しています。

〈敗戦後、日本は軍事大国化へ猛疾走し、攻撃能力保有の野望をしつこく抱いてきたが、それがこんにちのように明白な志向性と現実性を帯びて露骨に推進されたことはかつてなかった。

1950年代中葉から「敵基地攻撃能力」の保有が条件付きで自衛の範囲に該当するという荒唐無稽な法解釈の下で世論をつくり、「周辺脅威」の美名の下に絶え間なく正当性を付与してきた。

（中略）

事実上、日本の先制攻撃能力保有はすでに久しい前に完了し、現在不足しているのはただ合法的な「外皮」だけである。

各種の戦争法規の制定を通じて敗戦によって剥奪された交戦権、参戦権を暗黙のうちに確保し、まる一つの戦争を行えるほどの戦闘力まで保有した日本にとって先制攻撃能力保有の合法化はすなわち、再侵略準備の最終的な完成を意味する。

敵国の汚名もすすげなかった日本がまたもや分別を失い、再侵略の道へ突っ走る危険極まりない振る舞いは、世人の懸念と糾弾を呼び起こしている。

日本は、自分らの無分別な軍国化策動が薪を背負って火中に入るような愚かな自滅行為であることをはっきりと認識し、軽挙妄動してはならない〉（「ネナラ」日本語版、7月5日）

北朝鮮にしては抑制的な論評ですが、もし日本が敵基地攻撃能力の保有に動き始めたら、それなら我々も、と北朝鮮がミサイルの照準を日本に合わせる、というふうに、「脅威」

の度合いがエスカレートすることはじゅうぶんに予想されます。

封印していた力を解き放つ

イージス・アショアの代替として敵基地攻撃能力の保有に政府が前のめりになると、どのような波紋が起きるのか。自ら安全保障環境を変えようとすることの意味が、官邸もメディアもよくわかっていないのではないかと思います。イージス・アショアと敵基地攻撃能力は盾《たて》と矛《ほこ》の関係で考えるとよくわかります。イージス・アショアは盾です。その盾でミサイル防衛をするという考えができなくなったら、敵基地攻撃能力という矛を強くすればいい。安全保障の専門家――防衛省の技術系の職員や外交官はそのように考えるものです。

ただ、敵基地攻撃能力という憲法上は認められていることであっても、封印していた能力を実際に解き放つとなると、与件の変化になるのです。

次のように考えたら、与件が変化することの重大さがわかるかもしれません。日本の核兵器保有に関する議論です。日本は核兵器の保有に関する憲法第九条の解釈について次のような立場をとっています。

〈政府は従来から、自衛のための必要最小限を超えない実力を保持することは憲法第九条第二項によっても禁止されておらず、したがって右の限界の範囲内にとどまるものである限り、核兵器であると通常兵器であるとを問わず、これを保有することは同項の禁ずるところではないとの解釈をとってきている〉（1978年3月、参議院予算委員会での真田秀夫法制局長官の答弁）

つまり、日本の核兵器保有は合憲です。2016年、安倍首相は「憲法第九条は、一切の核兵器の保有及び使用をおよそ禁止しているわけではない」という答弁書を閣議決定しています。ここで安倍首相は核兵器の保有だけでなく使用も合憲であると踏み込みました。しかし、日本は非核三原則に則って実際には核兵器を保有しないし、使用しないのです。日本がその封印を破り、核保有国になり使用も辞さず、という態度をとったとしたら、国内外に与える衝撃はどれだけのものになるか予想できると思います。

今回の敵基地攻撃能力を保有しようという議論は、それに次ぐくらいの意味合いがあるのです。その手段として、日本が中距離弾道ミサイルを保有し、それに核弾頭を搭載して敵基地をたたくことは憲法上、整合がとれているわけです。しかし、これは日米安全保障条約の枠組みを覆す話なのです。このような大きな変化につながりかねない動きが、イージス・アショア配備断念によって起こりつつあります。

これが第1の波紋です。

辺野古がなぜ「唯一の選択肢」なのか

第2の波紋も決して小さくありません。イージス・アショア配備断念と沖縄の辺野古新基地建設強行との非対称性です。辺野古新基地建設について、沖縄県民の大多数が反対している上に、環境破壊、工事上の技術的な困難など、問題が山積しています。しかし、前者についてアメリカに対し「Ｎｏ」と言うことができ、後者についてはなぜ「Ｎｏ」が言えないのでしょうか。

イージス・アショア配備計画停止を知った沖縄県の玉城デニー知事は6月16日、記者団に、15日に公表された地上配備型迎撃システム「イージス・アショア」の秋田、山口両県への配備計画停止について「コストと期間を考えたら辺野古の方がより無駄な工事ではないか」と述べ、米軍普天間飛行場の移設に伴う名護市辺野古への新基地建設を進める国の姿勢に改めて疑問を呈しました。

〈玉城知事は16日朝、自身のツイッターでもこの問題に触れ、「『米軍普天間基地は辺野古移設せず速やかに返還されなければ基地の負担軽減という当初の意図を果たせない』と明快なご決断を」と書き込んだ〉（「琉球新報」電子版、6月16日）

沖縄の地元紙「琉球新報」は、17日、あくまでも辺野古の新基地建設を進めようとする政府の姿勢を厳しく批判しました。

〈（イージス・アショアは）導入すれば無用の長物になる可能性が大きかった。

河野防衛相が16日、代替地を検討しない考えを示し「この投資はすべきではない」と述べたのはその証左だ。

候補地とされた秋田、山口の両県は米ハワイ、グアムと北朝鮮を結ぶ直線上にある。米国を守るためともいわれる防衛装備に巨額の国費を支出するのは極めて疑問だ。

計画の停止は技術的な問題が理由とされた。技術的な問題が大きいのは名護市辺野古の新基地建設も同じだ。大浦湾側にマヨネーズ並みの軟弱地盤が存在し、実現性は見通せない。しかも、県民投票で7割超が埋め立てに反対しており、地上イージスの配備候補地以上に民意が具体的でかつ明確に示されている。

地上イージスの計画停止は技術的問題を理由にしているが、配備候補地の根強い反発が判断を後押ししたことは間違いない。辺野古の埋め立て強行は二重基準と言える。沖縄でも、民意を重く受け止め、新基地建設は断念すべきだ〉（同前、6月17日）

二重基準で不誠実、そして差別的

イージス・アショア配備計画停止と辺野古新基地建設の強行という政府の姿勢が二重基準だという主張には説得力があります。米軍の辺野古新基地建設地の大浦湾には軟弱地盤が広がり、震度1以上の地震で護岸が崩壊する恐れがあることが明らかになりました。これは新潟大学名誉教授の立石雅昭氏が代表を務める沖縄辺野古調査団の調査によるものです。これは技術的に重大な問題です。

しかも沖縄県民の大多数が新基地建設に反対しています。秋田と山口の民意に政府が応え、イージス・アショア配備計画を停止したのですから、沖縄の民意に応え辺野古新基地建設を停止することもできるはずです。

しかし、河野防衛相は16日の記者会見で、辺野古の新基地建設については「唯一の選択肢」だと説明しました。

〈地上イージス同様、辺野古の工事も多額の予算や膨大な時間がかかるが、河野氏は「（米軍）普天間飛行場の危険性の一日も早い除去を考えるとしっかり工事を進めたい」とし、現行計画が合理的で見直す必要はないとの考えを示した〉（同前）

イージス・アショア配備計画中止と辺野古新基地建設の強行という河野防衛相の姿勢は琉球新報が指摘するとおり二重基準で、不誠実であるばかりでなく、沖縄に対して差別的です。

その一方で、自民党の防衛相経験者の中からも、辺野古移設が合理性に欠けるという声が出てきました。

〈中谷元・元防衛相は15日、BS－TBSの番組に出演し、防衛省が地上配備型迎撃システム「イージス・アショア」の配備計画をやめたことに関連し、米軍普天間飛行場の名護市辺野古移設についても見直しが必要だとの認識を示した。「十数年、1兆円かかる。完成までに国際情勢は変わっている」と述べ、辺野古移設の不合理性を説明した。ただ、辺野古新基地建設を中止すべきとは明言していない。計画見直しの例には「軍民共用」を挙げた。また、在沖米軍の役割を日本の自衛隊が担うことも代替案として示した〉（同前、6月18日）

さらに民主党政権の防衛政務官、防衛副大臣として辺野古移設を推進し、現在は自民党に所属する長島昭久氏は6月16日、自身のツイッターで嘉手納統合案が望ましいとの見解を表明しました。

〈現行の辺野古移設が「唯一の選択肢」として工事を推し進める安倍政権にとって、身内の自民党内から辺野古移設の費用や期間に公然と疑問が呈されているのはこれまでにない状況だ〉（同前、6月21日）

政治家と官僚の本音

もっともこれら自民党の政治家の主張は辺野古新基地建設の中止ではなく、「軍民共用」や自衛隊が米軍の役割を肩代わりすることなどを念頭に置いています。日本の陸地面積の0・6％しかない沖縄県に在日米軍専用施設の70％が存在するという不平等な状況の抜本的是正をこれらの政治家が考えているわけではありません。嘉手納基地への統合、下地島への移転など、沖縄に負担を強いる発想しか出てこないのが日本政治の現状です。また、沖縄が辺野古移設に賛成しない限り、普天間基地を動かさなくていいと、公言しないものの、腹の中ではそう思っている政治家や官僚も少なからずいます。

辺野古新基地建設に関し、政府の論理整合性のない姿勢を述べるために参照した新聞記事が、沖縄の地元紙だけだということに気づきましたか？　深刻なのは、沖縄以外の日本のマスメディアにおいてイージス・アショア配備計画中止と辺野古新基地建設問題を結びつけて考察している記事が少ないことです。

これらが構造的差別なのです。新型コロナで感染者を悪者扱いしたり、感染者の多い地域からやってきた人を攻撃することなども差別だといえますが、こちらは、ついこの間まで比較的均質な空間にいた人々が、新型コロナの感染者かそうでないかで色分けされたという目に見えやすいものです。時間の経過とともに差別は解消していくと思います。沖縄の在日米軍施設の過重負担のような構造化された差別ではありません。

人と距離を置くことが招く事態

構造的差別は新型コロナのそれとは質が全く違います。沖縄の場合、近代以降だけをとってみても、明治維新で沖縄が日本国に組み込まれるプロセスも本土の廃藩置県とは異なります。１８７９年に政府は軍の力を背景にして琉球藩を強制的に潰し、沖縄県を設置しました（琉球処分）。太平洋戦争では、本土防衛のための捨て石にされました。戦後の米軍統治下では、本土に散在していた米軍基地が反基地運動のために沖縄に移転し、現在に続く沖縄県に在日米軍専用施設の極端な偏在をつくりだしました。日米安全保障条約体制を構造物だとすれば、その最下部を基地負担という具体的な形で沖縄が担わされ続けているのです。

構造的差別の当事者は政治家や本土のメディアだけではありません。沖縄県の人口は約１４５万人、沖縄県以外の日本の人口は約１・２億人。その１・２億人のほとんどが普段、米軍基地を意識することなく過ごしているわけです。沖縄の人々には具体的な形で見える基地が、圧倒的多くの日本人の目の前には存在しないわけですし、その状態が日常です。したがって沖縄の人々を差別しているという意識がないまま――強い表現をしますが――沖縄の人々を踏みつけにして毎日を過ごしているわけです。差別の当事者が差別に気づけない。これが構造的差別の怖いところです。

東日本大震災の後、「絆」という言葉が叫ばれ、人と人とがつながることが呼びかけられました。ところが新型コロナ禍では、逆に人と距離を置くことが求められています。バラバラになった個人は必然的に内向きになり、関心が自分とその周辺に集まりがちです。一方で、私たちの暮らしを担保し続けてきた安全保障環境に変化が起きつつあることや、そのために噴き出した矛盾に関心が向かない――このような現状に私は強い危機感をおぼえています。

あとがき

本書を読み終えた読者には理解していただけたと思うが、新型コロナウイルスによる危機は複合的性格を帯びている。感染症、公衆衛生、経済などの断片的な知識をいくら組み合わせても危機の正体をとらえることはできない。こういうときに役立つのがキリスト教神学のアプローチだ。

神学には神義論《しんぎ》（英Theodicy、独Theodizee、露Теодицея）という分野がある。この世にはさまざまな悪がある。にもかかわらず、神は正しいということを証明するのが神義論の課題だ。悪に対する責任が神にないと弁明するので弁神論《べんしん》という訳語を充てることもある。神義論では、悪を3つの分野に分けて考える。悪の本質や起源について考察する形而上的悪、天災、地変や感染症がもたらす自然悪、戦争や貧困など人間が起こす道徳悪の3分野だ。

もちろん、神がいないという考えに立てば、神義論という問題設定自体が存在しなくなる。そうなると、悪の問題が見えにくくなる。キリスト教では、人間には例外なく罪が内在していると考える。罪が形をとると悪になる。本人が自覚していなくても人間は悪を行うという前提に立たないと危機の正体をとらえることはできないと思う。ドイツのカトリック神学者クラウス・フォン・シュトッシュ（パーダーボルン大学教授）は、自然悪と道徳悪の関係についてこう述べる。

〈現代の神学においては繰り返し唱えられ了解されていることなのですが、神義論的な問題における最も深刻で重要な問題は道徳悪ではありません。比較的容易に理解できることですが、道徳悪というのは神に由来するのではなく、人間にその責任を求めることが可能だからです。それに対して近代のキリスト教信仰が直面した「激震」として、この世の苦しみについての最大の疑問を投げかけたのは、実はアウシュヴィッツではなく、一七五五年のリスボン大震災のような自然災害でした。自然悪が直接、神に由来するものならば、なぜ神は人間が過ちを犯すことをなすがままにさせておくのかという問いとは比較にならないほど根本的に、本当に神は善であるのかと疑うことへとつながるので

す〉〈クラウス・フォン・シュトッシュ［加納和寛訳］『神がいるなら、なぜ悪があるのか』関西学院大学出版会、２０１８年〉

新型コロナウイルス自体は自然悪の問題だ。しかし、それに対する人間の不作為並びに間違った政策、あるいはわれわれ一人ひとりの立ち居振る舞いに関する問題は、道徳悪に属する。こういう視座から本書では、現下日本が直面する危機について分析した。

政治的にもっとも気をつけなくてはならない構造悪は民主主義（デモクラシー）の形骸化だ。この点についてドイツの社会哲学者ユルゲン・ハーバーマスの考察が優れていると思う。

〈デモクラシーはもはや、あらゆる個人の普遍化可能な利益を認めさせようとする生活形式の内容によって規定されてはいない。それは、もっぱらたんに指導者と指導部を選抜するための方法とみなされている。デモクラシーはもはや、あらゆる正統な利益が自己決定と参加への基本的な関心の実現という道を通って満たされうるための条件という意味では理解されていない。それはいまやシステム適合的な補償のための分配率、すなわち私的利益を充足するための調節器ということでしかない。このデモクラシーによって自由なき福祉が可能となる。デモクラシーはもはや政治権力の平等な分配、いいかえれば権力を行使する機会《チャンス》の平等な分配という意味での政治的平等と結びついていない〉（ユルゲン・ハーバーマス［山田正行／金慧訳］『後期資本主義における正統化の問題』岩波文庫、2018年）

本書で繰り返し指摘したように、新型コロナウイルス対策の過程で国家機能が強まっている。国家機能の内部では、司法権と立法権に対して行政権が優位になっている。行政府の自粛要請に応じて、危機を克服するというアプローチが所与の条件下ではもっとも合理的であることは事実だ。しかし、この日本型の解決策は、ハーバーマスが指摘する「自由なき福祉」そのものだ。

私は元行政官（外務官僚）で、しかも首相官邸と緊密に連携しながら仕事をした経験がある。危機に直面し、主観的には首相官邸の政治家と官僚、霞が関（中央省府）の官僚が国家と国民を守るために全力で働いていることが私には皮膚感覚でわかる。しかし、主観的に真面目である政治家や官僚ほど、自らが抱える悪が見えなくなってしまうのだ。その悲喜劇的構造を本書で明らかにしたかった。
本書を上梓するにあたっては朝日新聞出版の中島美奈さん、マガジンハウスの山田聡さんにたいへんお世話になりました。どうもありがとうございます。

2020年7月17日、曙橋（東京都新宿区）の自宅にて

佐藤 優

佐藤　優　さとう・まさる
1960年生まれ。作家、元外務省主任分析官。同志社大学神学部卒業。同大大学院神学研究科修了。85年、外務省入省。在ソ連・在ロシア日本大使館勤務。北方領土問題など対ロシア外交で活躍。2002年、背任と偽計業務妨害容疑で逮捕。09年、最高裁上告棄却。13年、執行猶予期間を満了し刑の言い渡しが効力を失う。同志社大学神学部客員教授。著書に『国家の罠』(毎日出版文化賞特別賞)、『自壊する帝国』(大宅壮一ノンフィクション賞、新潮ドキュメント賞)など多数。

朝日新書
780
危《き》機《き》の正体《しょうたい》
コロナ時代を生き抜く技法

2020年８月30日第１刷発行

著　者　佐藤　優

発行者　三宮博信
カバーデザイン　アンスガー・フォルマー　田嶋佳子
印刷所　凸版印刷株式会社
発行所　朝日新聞出版
〒104-8011　東京都中央区築地5-3-2
電話　03-5541-8832（編集）
　　　03-5540-7793（販売）

Published in Japan by Asahi Shimbun Publications Inc.
ISBN 978-4-02-295093-2
定価はカバーに表示してあります。
落丁・乱丁の場合は弊社業務部(電話03-5540-7800)へご連絡ください。
送料弊社負担にてお取り替えいたします。